CONTEMPORARY SPANISH TEXTS

General Editor

FEDERICO DE ONÍS

FORMERLY PROFESSOR OF SPANISH
LITERATURE, COLUMBIA UNIVERSITY

CONTEMPORARY SPANISH TEXTS

FEDERICO DE ONÍS
General Editor

JACINTO BENAVENTE: *Tres comedias* (John Van Horne)

VICENTE BLASCO IBÁÑEZ: *La batalla del Marne* from *Los cuatro jinetes del Apocalipsis* (Federico de Onís)

MARTÍNEZ SIERRA: *Canción de cuna* (A. M. Espinosa)

JUAN RAMÓN JIMÉNEZ: *Platero y yo* (G. M. Walsh)

LINARES RIVAS: *El abolengo* (P. G. Miller)

Antología de cuentos españoles (Hill and Buceta)

AZORÍN: *Las confesiones de un pequeño filósofo* (L. Imbert)

Antología de cuentos americanos (L. A. Wilkins)

MARQUINA: *En Flandes se ha puesto el sol* (Hespelt and Sanjurjo)

QUINTEROS: *La flor de la vida* (Reed and Brooks)

PÍO BAROJA: *Zalacaín el aventurero* (A. L. Owen)

JULIO CAMBA: *La rana viajera* (Federico de Onís)

PALACIO VALDÉS: *La novela de un novelista* (Alpern and Martel)

Antología de ensayos españoles (Antonio Alonso)

TRES COMEDIAS

Sin querer
De pequeñas causas...
Los intereses creados

Por

JACINTO BENAVENTE

Edited by

JOHN VAN HORNE, Ph.D.

UNIVERSITY OF ILLINOIS

D. C. HEATH AND COMPANY

BOSTON

ADVERTENCIA GENERAL

Con este volumen iniciamos la publicación de una nueva serie de textos para el uso general de las clases de español. Intentamos con ella responder a las nuevas necesidades creadas por el rápido y extraordinario crecimiento del estudio del español que a través de todo el país estamos en estos días presenciando. El caudal de textos utilizado para esta enseñanza necesita ser renovado y aumentado de acuerdo con las nuevas demandas.

No creemos equivocarnos al interpretar la transformación a que estamos asistiendo, no sólo como un aumento en el número de estudiantes y en la intensidad del estudio, sino como un cambio en la dirección y en los fines de éste. Hasta ahora dominaba una tendencia más bien literaria e histórica; desde ahora, aun continuada e intensificada ésta, el primer plano de interés en el estudio del español lo ocupa el interés práctico, político y comercial. Reconocido este hecho a él debemos ajustar nuestras normas y a sus necesidades tenemos que subvenir; pero hemos de apresurarnos a afirmar que entendemos grave error el considerar esos dos fines como antitéticos. El estudio práctico del español, para ser verdaderamente práctico y eficaz, requerirá en el mayor grado posible el conocimiento y el uso de las obras puramente literarias.

La lectura de textos literarios originales de autores españoles será siempre uno de los modos esenciales de llegar al conocimiento práctico de la lengua. Será además un insustituible medio de llegar a conocer la vida, las costumbres, el carácter y el espíritu de esos pueblos con los que nos ligan lazos múltiples. La transformación a que estamos asistiendo no deberá pues entenderse en ningún sentido ni en ningún caso como motivo de exclusión de los textos literarios en la enseñanza; pero sí habrá seguramente que escoger entre la literatura de esos países la que más se adapte a las nuevas necesidades. Parece evidente que el estudio del español se dirige ahora mucho más que antes a las realidades actuales de los pueblos hispánicos, y que por lo tanto la literatura que debe ser conocida y utilizada generalmente en las clases debe ser la literatura de hoy, la literatura actualmente viva, la que representa el espíritu y los ideales actuales de la gran comunidad hispana.

Se han utilizado con éxito hasta ahora (y se seguirán utilizando) ciertas manifestaciones literarias españolas pertenecientes sobre todo al siglo XIX; pero pueden contarse con los dedos de una mano las obras de autores rigurosamente contemporáneos y las de autores hispano-americanos que hasta ahora se han puesto en circulación. El gran caudal de la producción literaria contemporánea — que por otra parte tiene el interés de ser uno de los momentos más brillantes de la literatura española — permanece fuera de nuestras clases de español. Y esto es más grave si se tiene en cuenta que un cambio esencial se ha llevado a cabo en las postrimerías del siglo XIX en las tendencias y en los gustos literarios y por lo tanto en el espíritu colectivo, un cambio tal que significa la aparición de una nueva época claramente distinta y aun contradictoria de la anterior. Esta época es la que ahora se encuentra en su momento de plenitud y madurez. Los más de los escritores del siglo XIX han desaparecido ya, los que aun viven son escritores retardados en contradicción con el espíritu del tiempo, y la nueva generación de escritores que surgió a la vida literaria en los últimos diez años del siglo XIX se encuentra ahora, después de veinte o treinta años de labor, en la cumbre de su vida y con una gloriosa obra detrás.

El mérito y el valor relativo de los hombres de esa generación

ha sido aquilatado por el público y la crítica españoles durante
este tiempo y algunos de ellos han obtenido una consagración
que les da, hasta donde el juicio contemporáneo puede llegar,
el valor y la autoridad de escritores clásicos. Unos han visto
abiertas las puertas de la Real Academia Española, otros ven
sus obras publicadas en ediciones completas y en selecciones y
antologías, todos ellos las han visto traducidas a las diversas
lenguas europeas, y — lo que significa más que nada — todos
ellos cuentan con la reputación, la autoridad y la influencia
a través de la gran comunidad espiritual de los pueblos que
hablan español.

Creemos llegado el momento de ofrecer a nuestros estudiantes
lo mejor de este caudal literario, y para ello hemos concebido
la publicación de una serie constituida por un número limitado
de textos que sean ejemplos de primer orden de los diversos
autores y de las diversas manifestaciones literarias modernas
en España y en Hispano-América y que al mismo tiempo
reúnan aquellas condiciones que los hagan aptos para la
enseñanza práctica del idioma en nuestras escuelas y colegios.

La selección cuidadosa de los textos irá acompañada de
ciertas innovaciones en la edición que tiendan a darle mayor
eficacia práctica. Cada texto llevará una breve introducción
escrita en español claro, puro y sencillo, destinada a ser leída
en las clases por los alumnos mismos como parte del texto.
Los profesores comprenderán la importancia que tiene preparar
al alumno para la inteligencia de un texto y un autor que
forman parte de las realidades actuales de los países cuya vida
se pretende dar a conocer. El Sr. Onís, director de la serie,
escribirá para ella dichas introducciones.

Las notas tendrán un carácter práctico; se pretenderá en
ellas no sólo resolver las dificultades gramaticales y de significación, sino dar a conocer el valor que, respecto al uso de la lengua
comúnmente hablada, tiene la lengua literaria empleada en el
texto. Muchas de las obras irán acompañadas de ejercicios

adecuados al grado de enseñanza a que la obra se considere destinada. En todo caso la obra irá acompañada de un vocabulario en el que se explicará suficientemente la significación y el valor usual del caudal lexicográfico, el cual, por su modernidad, ofrece muchas voces comunes que aun no han sido recogidas por los diccionarios.

CONTENTS

PREFACE

The text of this edition is taken from Benavente's *Teatro,*
Librería de los Sucesores de Hernando, Madrid; *Sin querer*
comes from vol. 4, 2d ed., 1913; *De pequeñas causas* . . . from
vol. 18, 1909; *Los intereses creados* from vol. 16, 4th ed., 1914.
A few obvious misprints are corrected; accentuation is made
to conform to the regulations in the 1914 edition of the Spanish Academy Dictionary; punctuation is unchanged. The
text proper is complete except for two slight omissions from
De pequeñas causas . . ., both of which are mentioned in the
notes. *Los intereses creados* is chosen as one of the finest of
Benavente's plays, and the one best suited to class use; the
two shorter pieces are included to give an idea of the author's
more normal manner. Although *De pequeñas causas* . . . was
produced on the stage after *Los intereses creados*, it precedes it
in this edition in order that the long play may stand at the
end of the volume.

It is believed that these plays can be read to greatest advantage after students have had one year of Spanish. The Notes
and Vocabulary have been prepared with that in mind, as
much material as possible being placed in the Vocabulary
rather than in the Notes. However, in the present dearth of
good elementary texts, the book might be used toward the
end of the first year; it is hoped that the vocabulary is ade-
quate for such a purpose. The introduction aims to give as
complete an account as space permits, of Benavente's dramatic career. Therefore, non-dramatic works, such as *De sobremesa*, are treated in much more summary fashion than they
deserve.

The editor wishes to express his thanks to the author, Sr. D. Jacinto Benavente, for kind permission to edit these plays; to his father for careful reading and correction of introduction, notes and vocabulary; to Professor John D. Fitz-Gerald, and Dr. Homero Serís, of the University of Illinois, and to Mr. José G. García, of New York City, founder of the newspaper *Las Novedades*, for valuable suggestions on difficult points. Dean Roscoe Pound, of the Law School of Harvard University, kindly furnished suggestions as to the probable interpretation of Emiliano and Triberiano.

INTRODUCTION

Benavente's Life. — Jacinto Benavente y Martínez or Jacinto Benavente, as he is commonly known, was born in Madrid on August 12th, 1866. He attended school in his native city, studied law at the University there, and finally abandoned his thought of a legal career in order to devote himself to dramatic literature. Much intercourse with varied types of people has supplied him with the knowledge of human nature evident in his dramatic productions. Although he has traveled to a considerable extent, Madrid has been the center of nearly all his literary activity, and it is impossible to identify him with any other place. The principal events of his life have been associated with the theater, and are best reviewed in connection with the study of his dramatic career.

Mariano Benavente, the father of the author, was a physician and specialist in children's diseases, who came originally from Murcia. His influence upon his son is perhaps noticeable in the respect shown by the latter for the medical profession and in his fondness for children.[1]

Devotion to the Stage. — In an interview published in the Madrid periodical *La Esfera* (in 1916) Benavente tells us that his affection for the theater was awakened at a very early age. He says that as a boy he took delight in fashioning little theatrical pieces in which he could act, and that his enthusiasm was aroused by the presentation rather than by the composition of such pieces. Even recently[2] he declared

---

[1] Cf. *De sobremesa*, vol. II, p. 86, "Por algo soy hijo de quien mereció el nombre de 'médico de los niños.'"

[2] In the interview just mentioned.

that he would rather have been a great actor than a writer of plays. In fact, he has been known to appear on the stage with the actress María Tubau and in some of his own productions, one of which was *Sin querer*.

Benavente is a peculiarly natural product of the stage. No one could give himself more whole-heartedly to his profession than he has done. He is interested in all theatrical matters: in the writing and presentation of plays, in actors, in the Madrid public which he praises and censures in turn, in the history and criticism of the drama, in aesthetic principles, in the relation between good art and financial success; in short, no detail escapes his notice. He likes to work with his audiences, to please and to amuse them, yet he does not lose sight of the serious mission of the drama. No outside interests have ever taken him for any considerable time from his true vocation. He is an excellent and well-rounded, but at the same time a delightfully spontaneous product of Spanish dramatic art.

Minor Works. — We are informed in the interview already mentioned that Benavente was forced to write several plays before he composed one that was accepted. In characteristically ironical style he asserts that it was not hard for him to gain a hearing, because his father was the physician of the theatrical manager to whom he made application. His earliest models, according to his own statement, were Shakespeare and Echegaray. Veneration for the great English dramatist is apparent in Benavente's entire career. The influence is perhaps most directly seen in the *Teatro fantástico*, the first in date of his published writings (1892). Short sketches and prose dialogues are contained in two other early volumes, *Figulinas* and *Vilanos*. A fourth book containing youthful writings and entitled *Cartas de mujeres* is a series of letters meant to illustrate the thoughts and the epistolary style of women. These letters have been much praised in Spain for their literary workmanship and for their insight into the feminine heart, a faculty which has always been considered one of the clearest manifestations of Benavente's genius.[1]

Other productions distinct from the central body of Benavente's dramatic works (the *Teatro*) are *De sobremesa* and the *Teatro del pueblo*. The former, a collection in five volumes of weekly articles composed for *Los lunes* of *El Imparcial* (1908–1912), is the principal source for its author's views on dramatic criticism and on worldly affairs in general. The *Teatro del pueblo* is a series of papers on subjects connected with the stage. Both these productions will be discussed after a review of the plays.

List of Plays. — The following titles are encountered, in the order here followed, in the twenty-two volumes of the *Teatro*. The date of the *estreno* (first performance) and a brief description are given with each title.[2]

1894 October 6th. *El nido ajeno* (comedy, three acts).

1896 October 21st. *Gente conocida* (scenes of modern life, four acts).

1897 February 13th. *El marido de la Téllez* (comedy sketch, one act).

February 27th. *De alivio* (monologue).

October 31st. *Don Juan* (translated from Molière).

November 30th. *La farándula* (comedy, two acts).

1898 November 7th. *La comida de las fieras* (comedy, three acts).

December 28th. *Teatro feminista* (farce comedy with music, one act).

---

[1] Cf. Juan Valera, *Obras completas*, vol. XXXI, pp. 15–23.

[2] It must be remembered that the word *comedia* (comedy) is used in Spanish for a play with a happy ending; the subject matter may be very serious; similarly a *drama* denotes a play with a sad ending. Spanish nomenclature is followed in translation, except in a few cases where the word 'farce' is added for clearness. It will be observed that the order of plays is not quite chronological in some cases. Moreover, there are no dates of production for a few pieces; this means that some are, through oversight, not dated in the printed Spanish edition, others were produced privately, and still others were never represented on the stage.

1899 March 11th. *Cuento de amor* (from Shakespeare's "Twelfth Night").

May 4th. *Operación quirúrgica* (comedy, one act).

December 7th. *Despedida cruel* (comedy, one act).

1900 March 31st. *La gata de Angora* (comedy, four acts).

April 6th. *Viaje de instrucción* (zarzuela).

July 15th. *Por la herida* (drama, one act).

1901 January 18th. *Modas* (sketch, one act).

January 19th. *Lo cursi* (comedy, three acts).

March 3rd. *Sin querer* (comedy sketch, one act).

July 19th. *Sacrificios* (drama, three acts).

October 8th. *La gobernadora* (comedy, three acts).

November 12th. *El primo Román* (comedy, three acts).

1902 February 24th. *Amor de amar* (comedy, two acts).

March 17th. *¡Libertad!* (translated from the Catalan of Rusiñol).

April 18th. *El tren de los maridos* (farce comedy, two acts).

December 2nd. *Alma triunfante* (drama, three acts).

December 19th. *El automóvil* (comedy, two acts).

1903 March 17th. *La noche del sábado* (stage romance, five divisions).

No date. *Los favoritos* (adapted from episode in Shakespeare's "Much Ado About Nothing").

March 23rd. *El hombrecito* (comedy, three acts).

October 29th. *Mademoiselle de Belle-Isle* (translated from Dumas Père).

October 26th. *Por qué se ama* (comedy, one act).

November 20th. *Al natural* (comedy, two acts).

December 9th. *La casa de la dicha* (drama, one act).

March 16th. *El dragón de fuego* (drama, three acts).

1904 March 15th. *Richelieu* (translated from Bulwer-Lytton).

No date. *La princesa Bebé* (scenes of modern life, four acts).

March 3rd. *No fumadores* (farce, one act).

1905 April 13th. *Rosas de otoño* (comedy, three acts).

No date. *Buena boda* (based on Augier).

July 18th. *El susto de la condesa* (dialogue).

July 22nd. *Cuento inmoral* (monologue).

December 23rd. *La sobresalienta* (farce with music).

December 1st. *Los malhechores del bien* (comedy, two acts).

December 24th. *Las cigarras hormigas* (farce comedy, three acts).

1906 February 22nd. *Más fuerte que el amor* (drama, four acts).

No date. *Manón Lescaut* (adapted from the Abbé Prévost).

1907 February 8th. *Los buhos* (comedy, three acts).

February 21st. *Abuela y nieta* (dialogue).

No date. *La princesa sin corazón* (fairy-tale).

January 10th. *El amor asusta* (comedy, one act).

March 16th. *La copa encantada* (adapted from Ariosto, one act zarzuela).

November 7th. *Los ojos de los muertos* (drama, three acts).

No date. *La historia de Otelo* (comedy, one act).

No date. *La sonrisa de Gioconda* (comedy sketch, one act).

No date. *El último minué* (comedy sketch, one act).

September 21st. *Todos somos unos* (farce with music.)

December 9th. *Los intereses creados* (comedy of masks).

1908 February 22nd. *Señora ama* (comedy, three acts).

October 19th. *El marido de su viuda* (comedy, one act).

November 10th. *La fuerza bruta* (comedy, one act).

March 14th. *De pequeñas causas . . .* (comedy sketch, one act).

December 23rd. *Hacia la verdad* (scenes of modern life, three divisions).

1909 January 20th. *Por las nubes* (comedy, two acts).

April 10th. *De cerca* (comedy, one act).

No date. *¡A ver qué hace un hombre!* (dramatic sketch, one act).

October 14th. *La escuela de las princesas* (comedy, three acts).

December 1st. *La señorita se aburre* (based on Tennyson, one act).

December 20th. *El príncipe que todo lo aprendió en los libros* (fairy-tale, two acts).

December 20th. *Ganarse la vida* (fairy-tale, one act).

1910 January 27th. *El nietecito* (from Grimm's Fairy Tales, one act).

1911 November 9th. *La losa de los sueños* (comedy, two acts).
1913 December 12th. *La malquerida* (drama, three acts).
1914 March 25th. *El destino manda* (from Hervieu).
1915 March 4th. *El collar de estrellas* (comedy, four acts).
    No date. *La verdad* (dialogue).
    December 22nd. *La propia estimación* (comedy, two acts).
1916 February 14th. *Campo de armiño* (comedy, three acts).
    May 4th. *La ciudad alegre y confiada* (second part of *Los intereses creados*).[1]

It will be observed that the *Teatro* includes nearly all varieties of dramatic output: one, two, three, and four act plays, monologues, dialogues, translations, adaptations, zarzuelas, farces, fairy-dramas, comedies, and tragedies.

First Period. — Between 1894 and 1901 Benavente produced eighteen plays on the Madrid stage. They represent, in a general way, the first phase of his dramatic career. The element that characterizes them most conspicuously is satire. Benavente holds up to scorn Spanish aristocratic society of the present day. He introduces to his audiences a succession of types whose failings and foibles are displayed with merciless precision. The author himself is concealed behind the array of personages whom he presents to the public.

Occasionally the reader will encounter a noble character isolated in the midst of selfish, amusement-seeking men, frivolous women, scheming parents and thoughtless sybarites. Such types, however, are comparatively rare; their function is to bring into stronger relief the general worthlessness of other characters. A woman is usually chosen to play the part of strength and virtue. This is by no means accidental. Study of Benavente reveals him as a defender of women; not at all their blind worshiper, it is true, but distinctly a sympathizer with their trials and problems.

It is to be noted that no character in any of these early plays is represented as utterly bad. That would be contrary

---

[1] Not yet included in the published volumes of the *Teatro*.

to the author's conception of human nature. Benavente insists that no man or woman can be regarded as entirely perverse or entirely admirable. Although his attitude is nearly always objective, and his general method satirical or ironical, he evinces upon occasion the ability to sympathize with the very weaknesses of the persons whom he ridicules. If we will try to forget for a moment that Benavente is making fun of an idle aristocracy vainly seeking relief from boredom, we shall understand that we are brought face to face with individuals drawn from real life, whose principal attributes are a discouraging mediocrity and inability to rise above a certain level.

Originality. — Benavente has been accused of plagiarism in his early plays. The charge has been brought, particularly with reference to *Gente conocida*, that he borrowed the character of the strong woman from Ibsen. His reply to this censure argues that there was no conscious imitation. He declares that Henri Lavedan served as a model as much as any writer can be said to have done so. That is to say, Benavente wished to unfold a picture of life as it is, in a series of photographic scenes.[1] Such a species of play has always been preferred by him. In days of more mature power, when he was writing with a more obvious purpose, he lamented that he was no longer doing what was pleasing to him, but was catering to the desires of others.

It may be gathered from what has just been said that there is not a strong element of plot in these plays of Spanish society. The object is rather delineation of character. Among the longer plays *Gente conocida*, *La comida de las fieras* and *Lo cursi* have perhaps received the greatest attention. *Lo cursi* is an excellent example of a skilfully constructed society comedy. Some of the shorter pieces, such as *Operación quirúrgica*, *Despedida cruel*, and *Por la herida* are very effective. A glance at the list of plays shows that *Don Juan*,

[1] See the *Autocrítica* prefixed to *Gente conocida*, *Teatro*, vol. 2, pp. 85-87.

La farándula, *Cuento de amor*, and *Viaje de instrucción* are unconnected in subject matter with the characteristic type just discussed.

It may not be amiss to call attention to Benavente's reason for choosing the aristocracy as a butt of ridicule. That he is not a mere vulgar reviler of rich and prominent people is shown by the following remarks, made in the course of a panegyric of the interest of the nobility in agriculture.

" If at times I have lashed our aristocracy, it was not on account of prejudice against it, but because, called upon to satirize, and considering the natural and roguish desire of the public to laugh at somebody's cost, it seemed to me more charitable to excite laughter at the expense of those who enjoy many advantages in life, rather than at the expense of the humble who toil and who suffer privations of all kinds. It has never seemed to me that hunger is a fit subject for laughter, and we know that in half of our comic plays hunger is the principal cause of merriment." [1]

Transition. — Many discussions and criticisms of Benavente indicate that he is known principally as a composer of plays that deal with society, written objectively to depict life as it is, without any betrayal of the author's opinions. As we pass beyond the year 1901, we realize that a change is taking place. This does not mean that pictures of life in the upper classes are to constitute an unimportant part of Benavente's *teatro*. As has been noted, they are especially congenial to his artistic sense. However, the later periods of his career give evidence of ever-expanding powers and of increasing versatility. The early type of play does not disappear, but it becomes only one of a number of different *genres*, all of which are connected by their author's keenness of observation, fidelity to life, genius for irony and universal human interest.

1901–1904. — No convincing bond of union is found in

[1] *De sobremesa*, vol. I, p. 65.

the eighteen plays written in the first three years of the present century. Four translations and adaptations are encountered. The society play is continued in *El automóvil* and *El hombrecito*, although the latter shows elements of the problem drama. With scarcely any change of method the scene of action is shifted from Spanish to royal and international society in *La noche del sábado* and *La princesa Bebé*. *El primo Román*, *Al natural*, and *La casa de la dicha*, although differing widely in details, evidence a broader view of human nature. Free rein is given to the spirit of fun in *El tren de los maridos* and *No fumadores*. Serious steps toward a thesis drama are evident in *Alma triunfante* and *Por qué se ama*. But the two most striking plays of the period are *La gobernadora* and *El dragón de fuego*.

La gobernadora. — In this play the spectator or reader is introduced to prominent political characters in a provincial town. The successive incidents show how influence may be brought to bear upon an administrative official from a variety of undesirable sources. The governor's wife, a shrewd, capable woman, persuades her husband to use his authority against his better judgment. The moneyed classes, devoted to reaction, use intrigues of all kinds to force him to forbid the performance of a play that extols liberal tendencies. The working classes attempt a riot in order to compel him not to interfere with the spectacle. The details of the plot need not be given. One thing, however, deserves to be mentioned — the brilliancy of the scenes in which a great number of characters are shown on the stage at the same time. One scene brings before our eyes a crowd collected in a café, and another shows us the spectators at a bull-fight. Benavente portrays faithfully and vividly the gayety inherent in the outdoor life of the races of Southern Europe. He reminds us of the splendid pictures that mark some of the best plays of Goldoni.[1]

[1] The most famous Italian writer of comedies (1707–1793).

Political Ideas. — Benavente has more than once called himself a reactionary in politics. Unfortunately we do not know just what he means by reaction. He speaks of the folly of endeavoring to correct abuses by law, but just when he appears to be on the point of committing himself, a satirical or ironical remark leaves us in doubt as to his real convictions. In recent utterances he has demonstrated greater willingness to discuss current problems from a severely logical point of view. In many respects he is a modern thinker; projects for the gradual improvement of Spanish and world-wide ills meet with his unqualified approval. Unfortunately, or perhaps fortunately, he is not always consistent in his desire to see things accomplished without governmental interference; for instance, he favors state control of the theater.

El dragón de fuego. — No better example could be given of the difficulty of determining Benavente's political notions than *El dragón de fuego.* It is at the same time his most serious, most mysterious, and, in the opinion of some critics, his most pessimistic work. The plot is as follows: A certain civilized country called Sirlandia has gained control over the uncivilized people of Nirván, thereby outdistancing the rival powers, Franconia and Suavia (the names may be applied to Western European nations as each reader sees fit). The emissaries of civilization are a general, a merchant, and a clergyman, who symbolize arms, money, and spirituality. The Europeans uphold upon the throne a puppet-king, Dani-Sar, who is the protagonist of the play and whose character is in every respect admirable. His weakness and his strength are those of a man removed from western civilization. Although in love with a maiden, Sita, he surrenders her to his brother Duraní, whom he thinks she loves. Foreigners and natives are alike dear to him, but he falls victim to the selfish and cruel policy of civilization. When the Sirlandians discover that Dani-Sar is not a pliant tool, they dethrone him and make his brother king. Dani-Sar is taken to Sirlandia, where he is held in custody. Outwardly he receives good treatment, but his heart is eaten away by loneliness, despair, and homesickness. He cannot endure the cold climate of the north and the hypocritical hospitality of his captors.

In this remarkable play Benavente is well-nigh as inscrutable as the sphinx. He recognizes the power of civilization and the inevitability of its advance. Yet he seems to value even more highly the gentle, noble patriotism of his hero. Other savages he describes as depraved and superstitious, although brave and in love with liberty. The whole composition is a masterly objective treatment of the unavoidable conflict between an advanced and a backward race.

Thesis Plays. — Those who are familiar only with Benavente's earlier manner can scarcely conceive of him as the author of a problem or thesis drama. A tendency to deny the presence of a thesis may be observed on the part of certain reviewers and critics. But careful reading of the plays and consideration of their chronological development disclose that at one period in his career Benavente's mind was busy with the problems of married life in such a way that he produced something very close to the drama with a purpose. We may trace the beginning of this tendency back to some of the first plays in which a strong woman is introduced as a foil to her worthless companions. Later, *Alma triunfante* is a glorification of a woman's generosity of soul, and *Por qué se ama* describes the influence of compassion in causing a woman to cling through thick and thin to the object of her affection.

In 1905 and 1906 appeared the plays that best illustrate a purposeful treatment of conjugal relations. Benavente's prime object is to idealize feminine love and constancy. A second theme, second in prominence only to the first, is a glorification of true love itself. The topic of compassion, already referred to, is carried to its greatest extreme in the gloomy but powerful tragedy *Más fuerte que el amor*.

Rosas de otoño. — The most striking of the problem plays is *Rosas de otoño*. Some critics who deny a thesis elsewhere admit it in this production. The heroine, Isabel, is married to Gonzalo, an unfaithful husband, who gives no heed to his wife's strictures, but persists in asserting that she is sacred to him in spite of everything. Gonzalo's daughter by an earlier marriage, María Antonia, marries a certain Pepe, whose actions are not above criticism. Yet Gonzalo defends him. Baseless rumors are circulated against the fair fame of María Antonia, and Pepe wishes to divorce her. Again Gonzalo defends him. This is too much for Isabel, who chides her husband so severely that she really succeeds in breaking through his selfishness. Although he endeavors to defend a feeble cause by an argument in favor of delinquent men, it is clear that his heart has been touched, and that Isabel, after long years of patient resignation, is destined to enjoy her " Autumn Roses."

The prevailing gloom of *Rosas de otoño* is relieved by certain trivial and even comic incidents on the part of minor characters, so arranged that they do not appear out of place. Moreover, Benavente is not too partisan; although frankly defending a cause, as a follower of Shakespeare he cannot forget that he is depicting human life. He gives due weight to the partial justice in the selfish arguments of Gonzalo and Pepe, and does not insist that they are utterly depraved. Heedlessness and egoism make them yield to temptation, but Gonzalo never overlooks the fact that his wife's honor must be respected and treasured.

Notwithstanding the good qualities of *Rosas de otoño* and kindred pieces, the play dealing with more or less conventional marital problems can scarcely be regarded as characteristic of Benavente. He is probably more successful in other directions.

Los malhechores del bien. — No other play of Benavente has provoked so great an outcry as *Los malhechores del bien*. On the surface it is a clever comedy containing an arraign-

ment of misguided charity. It was received by the audience
as anti-religious progaganda. On the night of its first performance many people left the theater by way of protest.
It does not seem necessary to regard a dramatist as anti-
clerical because he censures and ridicules the abuses and
the patronizing attitude of religious organizations. The fact
that they are religious is really accidental. The fault lies
in the frailty of human nature. One Spanish reviewer very
sensibly treats the play as a simple comedy and deprecates
the storm of disapproval that greeted its appearance.[1]

It is worth noting that side by side with serious efforts
Benavente produced between 1904 and 1906 four pieces
marked exclusively by the search for comic effect. Especially
amusing is *Las cigarras hormigas*, the longest member of the
Teatro, a rollicking three act comedy, literally crammed with
fun from beginning to end.

Period of Maturity. — *Los buhos* was first performed in
February, 1907, and *La malquerida* in December, 1913. To
the seven years between these dates belong twenty-five theatrical pieces that reveal Benavente as a mature, confident, ver-
satile dramatist. So perplexing is the succession of different
types of plays that they can be logically discussed only by
disregarding chronology and making divisions according to
subject matter.

Moral Tendency. — Prepared as a reader might be, after
perusal of the problem plays, to anticipate further changes,
he could scarcely expect from Benavente's pen simple sketches
written with no other aim than to uphold humble virtues.
Yet in some cases that is exactly what we find. A definite
moral tone is observable in a large portion of Benavente's
recent output. *Los buhos* is a beautiful treatment of the
pure affection entertained by two scholars, father and son, for
two friends who are mother and daughter. *Por las nubes*
suggests emigration to South America as a remedy for the

[1] E. Gómez de Baquero, in *La España moderna*, Jan. 1906, pp. 160-166.

struggling middle classes; in this play there is a resort to the expedient of making one of the characters (a physician) a mouth-piece for the author's opinions. *¡A ver qué hace un hombre!* is a plea for the unemployed workman. *Hacia la verdad* furnishes a eulogy of simple pleasures. *De cerca* is a literary gem that shows how the distrust existing between rich and poor may be overcome if they can learn to understand the common humanity that binds them. *La fuerza bruta* and *La losa de los sueños* glorify the spirit of sacrifice.

At first sight it seems as if Benavente's whole theory of art had been revolutionized. The key to the solution of the problem is in the pages of *De sobremesa*. In his weekly articles he frequently discusses conditions of wretchedness in the world about him. He suggests practical remedies for the alleviation of misery among the poor and in the middle classes. He evinces such a spirit of commiseration for human woes that no one can wonder that his natural feelings of sympathy and his desire to benefit his fellow men are reflected in his dramas. Thus it is that we find intensely moral plays coming from the hand of the man who wrote in the preface to the standard edition of his works: " I love art above all things, but all that I have attained in my works has been only a vain longing of my infinite love."

Plays for Children. — A passion for the welfare and happiness of children is one of the keynotes of Benavente's existence. In periodical writings he maintains that the young are neglected in Spain, that they receive a miserable education, and that the poor are wont to regard those children who die young as truly fortunate. Yet he feels that the most important element in the future improvement of the race is the careful upbringing of the newer generations. In company with other people Benavente long agitated the founding of a theater for children. His efforts were at last crowned with success, and he himself wrote for the new institution *El príncipe que todo lo aprendió en los libros*, *Ganarse la vida*, and *El* *nietecito.* He endeavored, with considerable success, to combine fairy legends, playful imagination, and educational value. Unfortunately the theater seems to have been a failure; its existence was limited to about one year.

Romantic Plays. — Benavente has always possessed a vein of poetry or of romance that makes him take delight in pure fancy. More than once in *De sobremesa* he defends works of imagination. In his own career the tendency can be traced back to the *Teatro fantástico*, and it is presumably connected with veneration of Shakespeare. Thus it is that we find among recent productions, not only the children's plays but *La princesa sin corazón*, *La copa encantada*, *El último minué*, and other flights of fancy. The inspiration that brought forth *Los intereses creados* may perhaps be assigned to the same source.[1]

Miscellanies. — It must not be supposed that recent years have witnessed a decline on the part of Benavente in power of irony and observation of character. Not only are these qualities present in nearly all his plays, but they are predominant in some. *Abuela y nieta* is a delightful character sketch. *De pequeñas causas* . . . is reminiscent of the earliest plays. *Los ojos de los muertos* is a gloomy tragedy of unhappy marital relations. And so we might continue with other scattered titles.

***Señora ama* and *La malquerida*.** — To the period now being discussed belong the two most striking (from the point of view of tendencies) of Benavente's latter-day achievements, *Señora ama* and *La malquerida*. They carry us to rural districts and plunge us into an inferno of ignorance, corruption, and vice. The author of these tragic histories has no illusions about the innocence of the country. Benavente is reported to have said that he liked *Señora ama* better than any other of his plays. The verdict of public and critics has been in favor of the companion piece. One critic, in partic-

[1] An account of *Los intereses creados* is incorporated in the Notes.

ular, has used *La malquerida* as an argument to place Benavente among the really great masters of the world's literature.[1]

La malquerida is a tragedy with a unified plot; the end
of each act forms a climax, while the whole leads to a final
crisis. A drama with the plot hinging upon a complicated
series of incidents was about the only thing lacking to round
out Benavente's *teatro*. It may now be claimed that he has
cultivated with success practically every variety of composition that might reasonably be attempted in modern times for
a modern audience.

Analysis. — The scene of *La malquerida* is laid among
country people in fairly easy circumstances. Raimunda,
the leading female character, is married to Esteban.[2] She
has a daughter, Acacia, from a former marriage, and one of
her chief desires is that her husband and daughter be on good
terms. To her disappointment, Acacia ever since childhood
has shown an aversion toward her stepfather, too strong to
be overcome by Esteban's kindness and by the many presents
that he has brought to her upon various occasions.

At the time of the opening scene of the play, Acacia is betrothed to Faustino, son of a neighboring farmer, Eusebio.
She had previously been engaged to her cousin, Norberto,
but the engagement had been broken for no obvious reason.
One night, just after a visit in company with his father to the
house of his fiancée, Faustino is murdered; shortly afterwards
the first act ends.

The community is aroused, and the finger of suspicion is
directed against the unfortunate cousin, Norberto. Especially do Eusebio and his remaining sons believe him guilty,

---

[1] José Rogerio Sánchez, in *Estudio crítico acerca de La malquerida,
drama de Jacinto Benavente*, Madrid, 1913.

[2] At the *estreno* the part of Raimunda was played by María Guerrero,
and that of Esteban by Fernando Díaz de Mendoza; these eminent artists,
whose company is the most celebrated in Spain, have appeared in several
of Benavente's plays.

and when justice, on account of lack of proof, does not detain Norberto, they determine to take their own revenge. They lie in wait for him as he is coming to see Raimunda, fall upon him, and wound him. He is carried to Raimunda's home, and there tells her a secret and also some horrible rumors that are being circulated in the community. He discloses that Esteban had long been in love with his stepdaughter Acacia, and that he could not bear the idea of losing her. Therefore he had threatened Norberto with death if he should insist upon marrying his cousin; that was the true reason for the breaking of the engagement. Later, when Acacia was betrothed to an outsider, Esteban could not use threats, but he was driven nearly crazy at the thought of being abandoned by his stepdaughter. He talked matters over with his servant El Rubio. and inflamed him to such an extent that he murdered Faustino.

Suspicion has been aroused by certain unguarded statements made by El Rubio while under the influence of wine. The whole community begins to suspect Esteban of the crime.

At the beginning of the last act Esteban and El Rubio have gone away, apparently with a vague idea of flight, but they soon return to face justice. Esteban regrets having been an accomplice in murder; El Rubio offers to take the responsibility if Esteban will agree to secure his liberty after a short interval. At this moment Raimunda enters, and accuses her husband of the crime. Together they review their life of the past few years, she criticizing him and he defending himself. He says that he has not been able to endure it; that the presence of the girl Acacia has always made his blood boil; that he has tried to resist, but in vain. If Acacia when a child had only called him father and had loved him, all would have been well. Raimunda takes pity on him when he says this, and assures him that they will live happily after sending Acacia to the house of a relative. Thereupon Acacia enters, and

shows hatred and scorn for her stepfather. He is saddened
by her attitude, and chides her. Raimunda begs her to call
him father, before he gives himself up to justice. Then Acacia
can no longer restrain the feelings that she has so long concealed from everybody. Instead of father she calls him
Esteban; she embraces him, and Raimunda realizes the final
truth. Her daughter has always loved her stepfather. In-
furiated, she calls upon everybody within hearing, and tells
the dreadful secret. Esteban tries to escape with Acacia,
in order to enjoy his newly discovered love. When he finds
that he is unable to get away, he fatally wounds his wife,
Raimunda. Fatality again places Acacia, the " Illbeloved,"
on the side of her mother, and this time forever; Raimunda
prepares to die, satisfied with her final victory.

The Latest Plays. — The *estreno* of a play of Benavente is
now one of the principal events of the theatrical year in Madrid.
His reputation is securely established, and the public looks
to him for the great events of the season. It is true, perhaps,
that no play since 1913 has reached the heights achieved by
La malquerida and other masterpieces. The keynote of
El collar de estrellas, *La propia estimación*, and *Campo de
armiño* seems to be the building of character. Nowhere else,
perhaps, is the author quite so insistent in setting a standard of human virtue. As a natural consequence he paints
some personages who come perilously close to being angels or
villains. The tendency is quite in line with the progressive
development of Benavente's dramatic and intellectual life.
Possibly his art has suffered slightly from a desire to exert a
good moral influence, but his reflections have become cor-
respondingly more profound and valuable. Moreover, we
must not forget his astonishing versatility. He can stop in
the midst of a series of didactic plays and compose something
like *Los intereses creados* or *La malquerida*.[1] Therefore it is

---

[1] Cf. *La ciudad alegre y confiada*, of which a brief notice is given in
the body of the Notes, in connection with *Los intereses creados*.

fair to assert that each new step in the evolution of his *teatro* adds to what has gone before without supplanting it.

Replies to Criticism. — Certain criticisms of methods employed by Benavente have been noticed. Replies made by him to unfavorable comment are contained in the following statements:

" If any remorse troubles my artistic conscience, it is because I have often sacrificed art to preaching; but in Spain ... it is necessary to preach so much, and the theater is such a good pulpit!"[1]

"And what shall I say of myself? I am the same man that I was in 1897; even my concessions to middle-class sentimentalism, as I could demonstrate with texts, do not belong to the present day alone. And why not? An author has the whole work in which to say what he feels and what he thinks; later, in the conclusion, seeing that life does not conclude anything, why not please the public? If this public, with or without concessions, had not been on my side from the beginning of my dramatic career, could I have continued to present plays? The public was my real support against the critics, who were almost unanimous in affirming that that was not drama."[2]

" No one is more opposed than I am to giving scandal either in books or in conduct. I shall never defend my works as literary works, but I will defend them as works of spotless morality. If in any of them there is anything that may seem sinful in appearance, it is not I who am speaking; it is some person for whose morality I am not responsible. I am accustomed to allow the personages of my works to express themselves according to their character and temperament. Unfortunately these evil characters are the ones who are always closest to the truth. Only God and my artistic conscience

[1] *De sobremesa*, II, 16.
[2] *De sobremesa*, II, 176–179; said in the course of a discussion with the critic Azorín.

know that it is necessary for us to lie when we wish to moralize." [1]

" My life as a dramatic author cannot be remembered without remembering Rosario Pino, the ideal interpreter of so many comedies of mine when my comedies were pleasing only to myself; whereas at present they are pleasing to many people, and not at all to me. And I am more mournful now at not being in accord with the applause, than I was then, when I could not agree with the censure." [2]

Teatro del pueblo. — The opinions of Benavente on various technical and critical matters related to the stage are found in a book of essays called *Teatro del pueblo* after the first article, which is an argument in favor of the establishment of a free theater for the people. Many of the themes discussed in the book allow the author to give free play to satire and irony. He criticizes savagely theatrical conditions in Spain, favors translations, upholds moving-pictures, one act plays, vaudeville, the circus, photography, etc., at the expense of the legitimate stage; but through it all there appears a man fond of poetry, interested in the lower classes and in children, an artist and a clear-headed man of affairs.

De sobremesa. — It remains only to describe the impression made by Benavente in matters unconnected with the theater. The periodical writings contain more about dramatic criticism than about any other one topic, but they also include a great many discussions of themes of national and world-wide interest; they were naturally affected by the current events of the years 1908–1912. The author of *De sobremesa* shows himself to be a typical product of modern life. Possessing the cultivation characteristic of intellectual life in a modern European capital, his mind is encumbered by

---

[1] *De sobremesa,* IV, 237; an answer to criticism of the morality of *La losa de los sueños;* cf. also *De sobremesa,* V, 161–163.

[2] Words spoken on the occasion of the farewell of Rosario Pino, and included in the last volume of *De sobremesa,* V, 265.

few, if any, illusions. He is both satirical and practical. Irony and hatred for Spanish abuses do not prevent him from exhibiting a pure and noble patriotism. Cosmopolitan as he may be in theories, his nature is essentially and intensely Spanish. It is a genuine comfort to find that the scientific observer of human nature, the man who can make acute comments on the most diversified subjects, can occasionally give way to a noble passion, and even to a pardonable prejudice; not too often, but just often enough to prove that he is human. One cannot turn away from Benavente without feeling that he has been enriched by communion with a master spirit and benefited by association with a broad, clear-thinking, sympathetic nature.

Conclusion. — When an author is still alive, and especially when he is in the prime of life, it is difficult to pass judgment upon him. The future may show an evolution hitherto unsuspected. As far as can be told at present, Benavente's position is unassailable. He has been admitted to the Spanish Academy, he is recognized as one of the leading dramatists of Spain, and many consider him the foremost figure in the modern Spanish theater. Before the outbreak of the European War he was almost universally admired in his native country. The bitterness of international discussion has crept into dramatic criticism, but such a situation should be only temporary. There is every reason to expect that future historians of Spanish literature will reserve a post of honor for Jacinto Benavente.

John Van Horne

Bibliographical Note

Comments on various phases of Benavente's career are found in a number of sources; some are cited in the footnotes; others that have come to the editor's notice are as follows:

Julio Brouta, "Spain's Greatest Dramatist," translated and published in the *Drama*, November, 1915.

John Garret Underhill, "Introduction" to *Plays by Jacinto Benavente*, New York, 1917.

Adolfo Bonilla y San Martín, "Jacinto Benavente," in the *Ateneo*, January, 1906, pp. 27–40.

Manuel Bueno, "Jacinto Benavente," in *Teatro español contemporáneo*, Madrid, 1909, pp. 129–177.

José León Pagano, "Jacinto Benavente," in *Al través de la España literaria*, 3rd ed., Madrid, 1904, vol. 2, pp. 49–55.

Fitzmaurice-Kelly, *Littérature espagnole*, 2nd ed., Paris, 1913, pp. 452–453.

With special reference to *Los intereses creados:* Severino Aznar, in *La Cultura española*, February, 1908, pp. 70–77; E. Gómez de Baquero, in *La España moderna*, January, 1908, pp. 169–177; notices of other plays are scattered through Spanish dramatic reviews.

JACINTO BENAVENTE

Jacinto Benavente nació en Madrid en 1866. Es un hombre pequeño, pulcro, refinado; sus ademanes tienen una elegancia casi femenina; su perfil aguileño y su barba en punta dan a su fisonomía una expresión netamente española; pero su carácter reside sobre todo en su frente, ancha y espaciosa como la de Cervantes,[1] y en sus ojos vivos y burlones en los que hay, sin embargo, una ligera sombra de melancolía. Hombre de mundo, gusta del trato social y de los viajes, a lo que debe su amplio conocimiento, no sólo de la sociedad española, sino de la sociedad cosmopolita. Es un conversador de mucho ingenio, a veces malicioso y mordaz; pero su espíritu es bueno y tolerante como lo muestran sus bien acreditados sentimientos humanitarios especialmente respecto de los niños.

Su obra es extensa; ha escrito para el teatro unas ochenta obras durante veinticinco años. Con ellas ha conquistado el primer puesto entre los autores dramáticos de su tiempo.

Cuando Benavente empezó a escribir, hacia 1894, encontró grandes dificultades para atraer la atención y la estimación del público. Los principios estéticos del teatro de Benavente

---

[1] Hay una semejanza bastante grande entre el retrato que Cervantes ha dejado escrito de sí mismo y la fisonomía de Benavente; salvo el color del pelo, que en Cervantes era rubio en la barba y castaño en la cabeza y que en Benavente es más bien negro, hay una notoria coincidencia en los demás rasgos. Cervantes era « de rostro aguileño, de cabello castaño, frente lisa y desembarazada, de alegres ojos, y de nariz corva aunque bien proporcionada . . ., los bigotes grandes, la boca pequeña, los dientes ni menudos ni crecidos, . . . el cuerpo entre dos extremos, ni grande ni pequeño, . . . algo cargado de espaldas y no muy ligero de pies.» (Cervantes, Prólogo a las *Novelas ejemplares*)

eran distintos y aun contradictorios de los que dominaban entonces en España. Estaba entonces en su apogeo el drama elevado y romántico, de trágicos conflictos y pasiones violentas, cuyo principal representante fué Don José Echegaray. Benavente, en cambio, aparecía como escritor de comedias realistas, en las que la fuerza era sustituida por la gracia y la exaltación dramática por la naturalidad y la verdad. No es extraño que el público necesitase algún tiempo para cambiar su gusto y acostumbrarse a este nuevo tipo de teatro más natural y más moderno. Más tarde el éxito fué completo y Benavente goza hoy de la misma popularidad de que hace veinticinco años, cuando él empezó a escribir, gozaba Echegaray.

Benavente ha pintado en sus comedias la sociedad española de hoy, sobre todo la sociedad madrileña de las clases media y alta. La ha pintado casi siempre con intención satírica ridiculizándola; seguramente hay en esa sociedad madrileña mucho más de bueno y de malo que lo que Benavente ha visto en ella, pero lo que él ha visto es verdad y es una verdad divertida e interesante. Las primeras comedias son más puramente satíricas y se reducen a la descripción de tipos y costumbres; la naturalidad y la verdad de los personajes y la agudeza e ingenio de las conversaciones constituyen el encanto de esas comedias.

Más adelante la visión del autor se ensancha y se eleva y sus comedias adquieren un sentido más moral y humano. Hay en ellas no sólo una amena burla de la sociedad que nos rodea, sino un ideal de una humanidad mejor. Al mismo tiempo la ironía es más amable y tolerante, y aunque siempre nos vemos invitados a reírnos de lo que es ridículo y a despreciar lo que es malo y ruin, hay en estas obras un cierto espíritu de simpatía humana que nos inclina a la tolerancia y a la compasión.

La obra de Benavente en que todas estas cualidades se han logrado de un modo más acabado y más perfecto — al menos según la opinión de los más — es la que constituye la base de este volumen: *Los intereses creados.* Esta obra no es como las más de Benavente una pintura directa de la sociedad contemporánea. Las ideas y los sentimientos, la visión del mundo y de la vida, son los mismos que se han desarrollado a través de toda la obra del autor; pero aparecen aquí, fuera de lugar y de tiempo, con una sencillez e intensidad verdaderamente clásicas. Siguiendo el artificio de la antigua farsa, los personajes de esta obra, que al parecer son muñecos exagerados e ingenuos, nos muestran los hilos por los que los hombres son movidos en la vida misma, las pasiones malas y buenas que inspiran las acciones humanas. Un personaje astuto y sagaz, conocedor experto del corazón humano, el pícaro Crispín, es el centro de la obra; él es quien mueve todos esos hilos, quien pone en juego todas esas pasiones, no en servicio propio sino en servicio de su compañero de aventuras, que en la ficción de la obra ha tomado el papel de señor. Y es realmente señor Leandro, porque es capaz de pensamientos elevados, de idealismos superiores y de la generosidad del amor.

La antítesis de estos dos personajes, que en realidad son uno mismo desdoblado en dos, de tal modo que el uno sin el otro no tendrían existencia, es la reproducción audaz y feliz de un tema eterno, de aquél mismo que encarnó de modo incomparable en las inmortales figuras de Don Quijote y Sancho. Cada alma humana se encuentra representada en esos dos personajes antitéticos que sin embargo se necesitan mutuamente; lo que en nosotros hay de generoso, de grande, de elevado, necesita amenudo para realizarse de otras aptitudes más bajas que hay también en nuestro espíritu. El idealista sin sentido práctico suele ser un hombre ineficaz e inepto destinado a ser vencido en las luchas ordinarias de la vida.

Parece pues que esta obra es una obra pesimista en la que se reconoce y afirma la necesidad del mal. Es, sin duda, una obra satírica en la que aparecen admirablemente pintadas algunas de las pequeñas pasiones, ambiciones y vanidades que muy amenudo encontramos en la vida; pero el amor y la generosidad triunfantes quedan afirmados en su pureza como realidades más poderosas que todas las impurezas y ficciones que a su alrededor se mueven en la comedia como en la vida.

La obra está escrita en un castellano noble y bello, sobrio y expresivo. Aunque ciertos giros intentan darle un cierto sabor arcaico, el lenguaje está lleno de sencillez y naturalidad. Tanto por el estilo como por la concepción, los españoles consideran esta obra como una de las mejores comedias del teatro moderno y hasta se atreven a compararla con las grandes producciones del teatro clásico que floreció en España en el siglo XVII.

Las otras dos obritas que acompañan en esta edición a *Los intereses creados* representan en pequeño el modo como Benavente acostumbra escribir sus comedias contemporáneas. La lectura de ellas dará suficiente idea de la finura y la gracia propias de este escritor y al mismo tiempo dará a conocer unas cuantas escenas vivas y animadas en las que tipos más o menos corrientes de la sociedad española expresan, con la **mayor** naturalidad y verdad posibles, **su manera de ser.**

SIN QUERER

BOCETO DE COMEDIA EN UN ACTO Y EN PROSA

Estrenado en el Teatro de la Comedia el día
3 de marzo de 1901

REPARTO

PERSONAJES	ACTORES
LUISA	SRA. PINO
UNA DONCELLA	SRTA. SAMPEDRO
PEPE	SR. BENAVENTE
DON MANUEL	» RUBIO

En Madrid. — Gabinete elegante

SIN QUERER

ACTO ÚNICO

ESCENA PRIMERA

LUISA, la DONCELLA y después PEPE

DONCELLA. ¡Señorita Luisa, señorita Luisa!

LUISA. ¿Ha subido?

DONCELLA. Sí.

LUISA. ¿Por la escalera de servicio? ¿No le ha visto nadie?

DONCELLA. ¡Por la escalera de servicio! ¡Cómo se [5] conoce que la señorita no está acostumbrada a estas cosas!... ¡Para llamar más la atención!...

LUISA. Es verdad; los porteros le conocen; y sobre todo, con que papá no le vea... Corre, que pase,[2] y ten [10] mucho cuidado; en cuanto salga mi tío de hablar con papá, nos avisas [3]...

DONCELLA. Descuide usted.

LUISA. Y no vayas a decir a nadie...

DONCELLA. ¡Señorita! Porque me haya usted oído [4] [15] contar más de cuatro cosas que ha visto una [5]... Tratándose de usted [6] ya sé que esto no será ninguna trapisonda, aunque lo parezca.

LUISA. Por supuesto... Ya lo sabrás... Anda, no hagas ruido al pasar [7] por el gabinete. (*Sale la doncella.* [20] *A poco entra Pepe.*)

3

PEPE. ¡Luisita!

LUISA. ¡Chist! No digas nada, no levantes la voz, no te muevas... Tenemos que hablar; siéntate. No dejes el sombrero, no fumes... ¡Uf, qué humo! No dejes ahí el cigarro. Siéntate, hombre,[1] siéntate. Ya supondrás[2] por qué te he llamado de esta manera...

PEPE. Sí; supongo...

LUISA. No supones, lo sabes... Sabes que mi padre y el tuyo conferencian en este momento.

PEPE. ¿En este momento?

LUISA. Sí. Se han encerrado en el despacho. Y era urgente, preciso, que nosotros nos viéramos antes a solas, con toda libertad, para ponernos de acuerdo... Nuestros padres deciden allí; pretenden decidir de nuestro porvenir, disponer de nuestro corazón[3]... Ya estás enterado; quieren casarnos.

PEPE. Sí; papá siempre me estaba diciendo: «Las bodas deben hacerse en familia; hay más probabilidades de acertar... En nuestra familia hay excelentes muchachas; debes fijarte en una de tus primas.» Pero la verdad, como sois veintitantas en la familia... era imposible fijarse...

LUISA. Papá estaba siempre con la misma canción; pero como el único primo casadero de la familia eres tú, cuando papá me decía: «Debes casarte con uno de tus primos», ya sabía yo que el primo eras tú. Comprende que hay mucha diferencia de[4] poder escoger entre veintitantas a[4] no tener dónde escoger... Pero aparte de eso, la idea de nuestros padres es ridícula. ¿Por qué nos hemos de[5] casar nosotros? ¿Me quieres tú a mí? ¿Te quiero yo a ti? Es decir, nos queremos... así, como buenos parientes... y eso es lo malo; mejor sería que no nos quisiéramos nada; yo creo que me sería más fácil quererte mucho de pronto no habiéndote querido nunca nada. . . Pero pensar ahora: «¡Ea!, voy a quererle más, debo quererle más.» ¿Por qué voy a quererte hoy más de lo que te quería ayer? Y, francamente, queriéndote hoy como te quería ayer, es un disparate que piensen que nos casemos mañana.

PEPE.   Sí, es expuesto.

LUISA.   Y vamos a ver, ¿qué te ha dicho tu padre? Supongo que antes de decidirse a hablar con el mío seriamente te habrá dicho [1] algo.

PEPE.   Me ha dicho lo que me dice siempre que se enfada conmigo, cuando le pido dinero, cuando paga mis cuentas: «Ya es hora de que [2] acaben las locuras.» Papá llama locuras a las cuentas de 500 pesetas para arriba. . . Ya ves, ésas son locuras del sastre, del camisero. . . «Es preciso que pienses en casarte. . .»

LUISA.   Eso es; cuando el señorito da guerra en casa. . .

PEPE.   Y tu padre, ¿cuándo piensa casarte a ti?

LUISA.   ¡Ay! Siempre que nos toca el turno del Real [3] y le obligo a dejar su partida de tresillo. Lo que es [4] las noches de tercer turno, [5] no le importaría [6] verme casada con cualquiera. Y en papá se comprende ese afán. . . Viudo, con sus ocupaciones. . . Yo no puedo soportar a las ayas, ni a las señoras de compañía; así es que vivo sacrificada, porque papá sólo se presta a acompañarme al teatro Real; eso sí, las noches que cantan La Walkyria ¡me da una lástima!

PEPE.   Sí, tú, la verdad, sola con tu padre desde muy niña, [7] ya debías haberte casado. . .

LUISA.   ¿Ya? No dirás tú como papá, que me estoy pasando. . .

PEPE.   ¡Qué disparate!

LUISA. No; es que como me pusieron de largo muy pronto, porque dí un estirón a los catorce años, la gente cree que tengo más edad. Pero tú sabes. . .

PEPE. ¡Ay, si lo sé! [1] Soy un viejo comparado contigo.

5 LUISA. Viejo, no; pero no estás para [2] perder el tiempo. Nuestros padres tienen razón; debemos casarnos; pero cada uno por su lado. ¿No te parece? No es que yo sea romántica (en toda mi vida habré leído dos novelas), ni que yo sueñe con ideales, ni con príncipes encantados;

10 pero estas bodas, arregladas en familia, me parecen bodas de interés, de conveniencia. . . Un poco de poesía nunca está de más. . . Sobre todo, que [3] nosotros [4] se puede decir que no nos conocemos. ¿Qué sabes tú de mí? ¿Qué sé yo de ti? Ni me ha importado nunca saberlo. ¿Sabes siquiera

15 si yo he tenido algún novio?

PEPE. No, que yo sepa, y hemos ido juntos alguna vez a bailes y hemos pasado juntos todo un verano.

LUISA. Pues entonces tenía yo novio, ya ves, y ni siquiera te enteraste; eso prueba lo que te importaba.

20 PEPE. ¡Ah, sí, aquel majadero! . . . ¿Cómo había de importarme? [5]

LUISA. Pues si me hubieras querido como pariente siquiera, debía haberte importado que yo tuviera relaciones con un majadero.

25 PEPE. Estaba seguro de que [6] tienes demasiado talento para conocerlo y no casarte con él. . .

LUISA. Muchas gracias, pero sigues equivocado; estaba enamoradilla [7] de él, y él de mí, no se diga; [8] ¡y si vieras cuando un hombre se enamora de verdad, qué difícil

30 es distinguir a un majadero de un hombre de talento! . . .

PEPE. No es verdad; un tonto no puede querer como una persona de talento, ni se le puede querer lo mismo.

Luisa. ¿Por qué no? Mira, a las mujeres lo que nos halaga es que por nuestro cariño se transformen los hombres en otros. El cariño es siempre revolucionario, y para el caso lo mismo da que diga la gente: «Fulanito,[1] que era tan simple, cómo se va avispando[2] desde que usted le quiere.» O que diga: «Menganito, un hombre de tanto talento, ¡qué tonterías[3] hace desde que se ha enamorado de usted!» Por eso yo no me casaría con un santo... ¿Qué iba yo a cambiar[4] en un santo? Pero un hombre, así... algo extraviado... que se dejara convertir poco a poco. ¡Qué bonito! Querer a un hombre, casarse con él y, al poco tiempo, que aquel hombre sea otro hombre...

Pepe. Un marido de gran espectáculo, con mutaciones.[5]

Luisa. Ahí tienes lo que me parece imposible contigo: porque tú no eres bueno ni malo, no tienes grandes defectos ni grandes virtudes. ¿Estoy equivocada?

Pepe. ¡Quién sabe, quién sabe!

Luisa. No; me parece[6] que contigo no hay sorpresas...

Pepe. ¡Quién sabe, quién sabe!

Luisa. ¿De veras? ¿No eres lo que pareces?

Pepe. ¡Quién sabe, quién sabe!

Luisa. ¡Ay! No seas pesado; dime ese secreto...

Pepe. Si yo no tengo secretos;[7] digo, ¡quién sabe!, porque yo no sé nada.

Luisa. Pero tú, ¿no has querido nunca?

Pepe. Alguna vez.

Luisa. ¿Novia formal?[8]

Pepe. No, muy loca.

Luisa. Digo,[9] pensando en casarte.

PEPE.   Pensándolo mucho.

LUISA.   ¿Y por qué la dejaste?

PEPE.   Porque me enteré de que quería a otro.

LUISA.   Entonces di que la que te dejó fué ella.

5   PEPE.   No, ella no quería dejarme; estaba también
por las mutaciones, pero por otro sistema.

LUISA.   ¿Y sentiste mucho aquel desengaño?

PEPE.   ¡Ya lo creo! Fué cuando pasé aquella temporada en París para distraerme.

10   LUISA.   Sí, es verdad. Vaya, vaya, pareció [1] la
novelita.

PEPE.   Cuando tío Ramón fué a buscarme, comisionado
por papá, porque le habían dicho que yo tenía allí
amores.

15   LUISA.   ¡Qué gracioso! Con una francesa... Y tío
Ramón, quieras que no,[2] te trajo de una orejita...[3]

PEPE.   A mí, no; adoptó el sistema más práctico, se
la trajo a ella... En el teatro Japonés la tienes [4] cantando.

LUISA.   ¡Pobrecito! Todas te dejan... Debes tener el
20   corazón destrozado...

PEPE.   No lo creas, fortalecido. Mis equivocaciones
en la vida han sido engaños, no desengaños, y no me han
entristecido ni me han vuelto desconfiado siquiera. Mi
corazón está abierto de par en par.

25   LUISA.   Esperando el cariño soñado, el ideal... ¿No
es eso?

PEPE.   Yo nunca he creído que el cariño..., el amor,
en el lenguaje poético, sea la felicidad por sí solo; nos
lleva dulcemente de la mano hasta la entrada; pero
30   después el camino es penoso, y el amor, débil niño, tiene
que transformarse en algo más serio, más fuerte, para
seguir adelante, en deber, en sacrificio...

Luisa. Está muy bien eso que dices... ¡Primera sorpresa!

Pepe. ¡Bah! Tantas sorpresas podía [1] darte, y tú a mí, y los dos a nosotros mismos... ¿Qué sabemos de la vida? ¿Cómo nos han educado? Con el sistema de los padres en España: de considerar a los hijos siempre como chiquillos; yo, en mi casa, soy siempre Pepito; tú, Luisita, siempre para tu padre: dos chiquillos de quien [2] sólo se espera alguna travesura, de quien nada se toma en serio; nuestros caprichos, más o menos discutidos, satisfechos siempre; niños mimados por nuestros padres, mal dispuestos a ser maltratados por los demás en la vida. Cuando empecemos a vivir por nosotros mismos, pecaremos de osados o de tímidos; no sabremos ir con la tranquila seguridad que da la confianza en sí mismo, porque nuestros padres nos han dicho: «No seas así», o «Debes ser así»; pero «Así eres», nunca. Yo no sé cómo soy, y a ti te pasará lo mismo.

Luisa. Tienes mucha razón. No nos enseñan a conocernos. Y ahora, porque a nuestros padres se les antoja que todo se quede en casa, [3] porque nos juzgan además incapaces de elegir por nosotros mismos, nos dicen, sin más ni más, «a casaros», y, de buenas a primeras, novios un par de meses, y asunto concluido, y después desgraciados para toda la vida... Si no estuviéramos de acuerdo para oponernos... Yo te confieso que no seré la primera en decir que no; tú debes ser quien...

Pepe. Me opondré.

Luisa. Dices que soy muy buena, muy bonita, todo lo que quieras; pero que no soy la mujer soñada... Tú tendrás tu ideal, como todo el mundo. A propósito, ¿cómo es tu ideal?

PEPE.   ¿Mi ideal? ¿Para mujer propia? Vas a reírte.

LUISA.   ¿Rubia? ¿Morena? ¿Alta? ¿Bajita?

PEPE.   No lo sé. Va vestida de gris; es lo único que puedo decirte.

5 LUISA.   ¡Qué chifladura!

PEPE.   Como en un cromo inglés que ví hace muchos años: una de esas escenas plácidas de pintura inglesa; una muchacha vestida de gris, que preparaba el *pudding* de Navidad, y a su lado, sentado, un joven, el esposo o 10 el prometido, y alrededor unos gatos, y en el fondo unos viejos leyendo la Biblia; y al otro lado, por una puerta abierta a un jardín, unos niños muy rubios, jugando. Había no sé qué en aquel cromo, la escena, el color, un tono general que lo envolvía todo,[1] el color de la dicha a 15 que puede aspirarse en este mundo.

LUISA.   ¿Color de rosa?

PEPE.   No, agrisado; un tono muy dulce; la dicha que se sueña, sí[2] es de color de rosa; la que puede lograrse, la de la vida, es siempre gris, el color de la melancolía resig- 20 nada, de la tristeza bondadosa que sonríe y perdona y ama.

LUISA.   Yo tengo un vestido gris, no sé si será de ese tono exacto; me lo pondré un día para parecerme a tu cromo inglés, digo, a tu ideal; será en lo único que[3] me parezca.

25 PEPE.   Y yo, ¿qué he de hacer para parecerme a tu ideal? . . .

LUISA.   ¿A mi marido ideal? ¡Ay! Yo sé perfectamente cómo no ha de ser; pero cómo ha de ser no sabría decirlo.

PEPE.   ¿Y cómo no ha de ser?

30 LUISA. De muchos modos. No creas, los defectos grandes no me asustan tanto como los pequeños, esos defectillos que hasta parecen gracias y son los más peli-

grosos para la intimidad de toda la vida. Por ejemplo: yo
tengo una amiga que se ha casado con un muchacho ejemplar, un modelo, todo el mundo lo dice; pues el otro día
estuvieron aquí de visita, y por un solo detalle me atrevo
a pronosticar que no serían[1] felices. Verás, parece una
tontería; el marido le dijo a su mujer: «Merceditas,
llevas un descosido.» Y se lo dijo de un modo que indicaba que en aquel matrimonio el marido sería siempre el
primero que viera los descosidos.

PEPE.   ¡Qué gracioso!

LUISA.   Es que aquello sólo indicaba un cambio de
papeles muy antipático. ¿Pues qué me dices cuando en
un matrimonio es el marido el que tiene que advertir que
se gasta mucho? ¡Qué cosa más fea cuando la mujer está[2]
a todas horas: «Yo compraría esto, yo tendría esto otro»;
y el marido: «Que[3] la vida es muy cara, que no podemos
gastar tanto!...» En cambio, ¿hay nada más bonito
para una mujer que, sin pedir nunca nada, verse obsequiada por su marido de cuando en cuando con cualquier
regalito, y, disimulando mal la alegría, reprenderle cariñosa:[4] «¿Por qué has comprado esto? No estamos para
gastos; te habrán llevado un dineral, y es de muy buen
gusto», aunque sea un mamarracho y sepamos que le ha
costado tres pesetas?

PEPE.   Sabes mucho.

LUISA.   Es mi sistema con papá, y así consigo que
siempre me esté regalando, algunas veces cosas horribles;
pero ¡líbreme Dios de decírselo! Y lo mismo haría con mi
marido. Hay mujeres tan mal educadas que cambian en
las tiendas los regalos que las traen sus pobrecitos maridos,
tan ufanos, creyéndolos del mejor gusto... Tú dirás que
en qué cosas me fijo[5] y a qué detalles doy importancia...

PEPE. No, no; estamos conformes... Yo también doy mucha importancia a los detalles... y pienso como tú...

LUISA. Así comprenderás que no estaba dispuesta a casarme contigo, ni con nadie, sólo por complacer[1] a papá.

PEPE. Ni yo contigo; puedes creerlo.

LUISA. Creían, porque a ellos les conviniera[2]... Afortunadamente, verán que los dos estamos de acuerdo, y no habrá desaire por parte de ninguno.

PEPE. Por mi parte, nunca lo hubiera habido;[3] me hubiera presentado aquí como novio por no contrariar[4] a papá, y hubiera hecho todo lo posible por parecerte mal.

LUISA. Pues hubiera sido un noviazgo famoso, porque yo pensaba también parecerte insoportable.

PEPE. Afortunadamente, has tenido una gran idea; después de esta entrevista...

LUISA. ¿No era lo mejor? Hablar claro, hablando se entiende la gente; ya lo has visto: hablando aquí, a solas, sin fingimientos, dejándonos llevar de la conversación sin querer...

PEPE. Y sin querernos... he descubierto que tengo una prima encantadora.

LUISA. Y yo que tengo un primo muy simpático y muy razonable, que piensa como yo en muchas cosas de la vida.

PEPE. Es que piensas muy bien en todo.

LUISA. De manera que nuestros padres, si no consiguen lo que se proponen, han conseguido algo mejor para nosotros: que desde hoy nos estimemos de verdad; cuando antes, a mí, te lo confieso, me eras indiferente, pero[5] muy indiferente.

PEPE. Como tú a mí.

LUISA. ¡Y querían casarnos!

PEPE. Ya ves, ¿cómo era posible?

LUISA. Me parece que nunca se habrá descompuesto una boda más amistosamente.

PEPE. ¿De seguro que, casándonos, no estaríamos tan 5 contentos el uno del otro.

LUISA. Ya quisiera yo, si algún día me caso, que mi marido se parezca a ti en algo.

PEPE. Y yo que mi mujer se parezca a ti en todo.

LUISA. ¿De veras?... ¿De qué te ríes?   10

PEPE. ¿Pero te has fijado en lo que estamos diciendo?

LUISA. ¿Eh?... Pues es verdad. Pero ¡qué tontos! ¡Qué tontos! Ahora resulta que casi nos hemos enamorado el uno del otro.

PEPE. Y que en vista de eso decidimos no casarnos... 15 ¿Qué te parece? Es gracioso...

LUISA. Sí; es gracioso...

ESCENA II

DICHOS y la DONCELLA

DONCELLA. ¡Señorita! Su tío de usted sale en este momento del despacho.

PEPE. Ha terminado la conferencia.   20

LUISA. Y nuestra conspiración. En cuanto baje tu padre la escalera, sales [1] por aquí. Papá vendrá en seguida a darme cuenta del resultado de la entrevista. ¡Si supiera!...

DONCELLA. Han cerrado la puerta de la calle.   25

LUISA. Pues anda..., vete...

PEPE. Yo quisiera saber, ya que estoy aquí... ¿No podría esperar?...

LUISA. Si papá te ve. . .

DONCELLA. Sí, en mi cuarto; venga usted.

LUISA. No, no; si lo ve alguien. . .

DONCELLA. Descuide usted, señorita. Diré que ha ve-
5 nido por mí. . . y lo creerán.

LUISA. Pronto; papá viene.

DONCELLA. Venga usted. . . (*Salen Pepe y la doncella.*)

ESCENA III

LUISA, D. MANUEL y después PEPE

LUISA. ¿Qué tienes, papá? ¿No me contestas? Yo creí
que tendrías que hablarme. . .

10 MANUEL. No.

LUISA. ¿No estaba tío Carlos contigo?

MANUEL. Sí.

LUISA. ¿A qué ha venido [1] tan temprano?

MANUEL. A nada.

15 LUISA. ¿Estás seguro? Vaya, papá, lo que te sucede
es que tienes que decirme muchas cosas y no sabes cómo
empezar.

MANUEL. No tengo que decirte nada. Y, sobre todo,
no vuelvas a mentar a tu tío. ¡Ha muerto para mí!

20 LUISA. Entonces. . . mi primo Pepe. . .

MANUEL. Ha muerto también.

LUISA. Te advierto que hoy es turno tercero.

MANUEL. ¿Y qué?

LUISA. Nada; que con tanto luto en la familia no me
25 parece bien que vayamos al teatro.

MANUEL. ¡Turno tercero! ¡Turno tercero! ¡No me
importa! Desde hoy te acompañaré todas las noches al
teatro, te divertirás, nos divertiremos. No estés triste,

hija mía. ¿Se[1] creerá tu tío que no hay más hombre que tu primo?

LUISA. Pero es que...

MANUEL. ¡Y por cuestión de intereses! ¡Qué falta de decoro! Cuando yo, haciendo un sacrificio y por tratarse de ellos, te dotaba con mis dos mejores fincas y algo de papel y unos créditos que pueden cobrarse, ¿con qué dirás que se descuelga tu tío? Con que él no se desprende de nada, que os pasará un tanto, pero nada más. Conozco yo los tantos de tu tío: os lo pasaría un mes, ¡viejo avariento!, y después os dejaría morir de hambre. Porque yo os doy lo suficiente para la casa, y el coche, y los viajes de veraneo; pero si él no os da nada no tendréis qué comer. ¿Y cómo vais a vivir sin comer?

LUISA. Es verdad; sin comer y con coche... ¿De modo que habéis regañado?

MANUEL. ¡No tienes idea! Le he dicho lo que pensaba de él hace mucho tiempo y del botarate de su hijo[2]...

LUISA. Pero, ¿qué sabe Pepe?...

MANUEL. Para cuando lo sepa.

LUISA. ¡Ay, papá, estás muy alterado!

MANUEL. Es que no puedo con las gentes que todo lo[3] sacrifican al interés, como si todo fuera cuestión de dinero en la vida y eso valiera la pena de descomponer una familia. ¡Un tanto! ¡Un tanto! Y el viejo marrullero ni siquiera quería firmar, para no comprometerse a nada. ¿Pensaba que yo iba a casarte sin garantías?

LUISA. Es la moda, papá.

MANUEL. No lo eches a broma.

LUISA. Al contrario. Es decir, que vosotros disponéis y os indisponéis cuando os conviene, sin contar para nada con[4] nosotros, como si Pepe y yo fuéramos dos chiquillos

sin voluntad y sin corazón; ni antes os importaba que
no nos quisiéramos, ni ahora que pudiéramos querernos.
¿No es eso?

MANUEL.   Querrás decirme que estás enamorada de
5 tu primo...

LUISA.   Supongamos que lo estuviera.

MANUEL.   Dejémonos de suposiciones.

PEPE.   Sí, dejémonos.   Yo estoy enamorado de Luisa.

MANUEL.   ¡Eh! ¿Qué haces tú aquí? ¿Qué significa
10 esto?

PEPE.   Significa que, mientras ustedes hablaban de
intereses, nosotros hemos dejado hablar a nuestro corazón;
y como hablando, hablando se entiende la gente...

LUISA.   Hemos decidido lo contrario de ustedes,
15 casarnos.

MANUEL.   Así... en media hora.   ¡Estáis locos!

LUISA.   ¿Qué quiere usted? Media hora de conversación, convenciéndonos de que no debíamos casarnos, nos
ha dado a conocer mejor que dos años de relaciones para
20 casarnos.

PEPE.   No teníamos por qué fingir...

LUISA.   Ni por qué engañarnos.

PEPE.   Hemos hablado con franqueza, decididos a no
querernos.

25 LUISA.   Y sin querer, sin querer...

MANUEL.   Eso creéis vosotros.   ¡No habréis coqueteado
poco! En fin, por mi parte, si os engañáis, y creyendo
conoceros a fondo, os conocéis menos que nunca...

PEPE.   Ya no es preciso que nos conozcamos más.

30 LUISA.   Ahora nos basta con querernos mucho. (*Telón.*)

DE PEQUEÑAS CAUSAS...

BOCETO DE COMEDIA EN UN ACTO

Estrenado en el Teatro de la Princesa la noche
del 14 de marzo de 1908

REPARTO

PERSONAJES	ACTORES
EMILIA	SRA. COBEÑA (CARMEN)
MANUEL	SR. MORANO
GONZÁLEZ	» MANSO
HERNÁNDEZ	» COMES
UN CRIADO	N. N.

DE PEQUEÑAS CAUSAS...

ACTO ÚNICO

Gabinete

ESCENA I

GONZÁLEZ, MANUEL y un CRIADO

CRIADO. No insista usted: le digo que el señor no está,[1] que no volverá en todo el día.

GONZÁLEZ. Le digo a usted que para mí sí;[2] le digo a usted que estoy en el secreto.

CRIADO. Usted quiere comprometerme. 5

GONZÁLEZ. Le digo a usted que no... Pásele usted esta tarjeta.

CRIADO. Pero, caballero...

GONZÁLEZ. O a su señora, es lo mismo...; yo he de verle, sea como sea. 10

CRIADO. Pero...

GONZÁLEZ. Nada,[3] que he de verle.

CRIADO. Caballero..., usted puede hacer lo que guste;[4] pero le aseguro a usted...

GONZÁLEZ. No asegure usted nada. Es que habrá 15 usted recibido esa orden..., sí...; lo sé todo..., lo que ocurre en casos semejantes...; por eso sé lo que debo hacer, lo de siempre, no hacerle a usted caso; ya lo ve usted...

CRIADO. Como usted quiera. (*Entra Manuel.*) 20

GONZÁLEZ. ¿Lo ve usted?

CRIADO.   Yo he cumplido con la orden del señor; pero el señor [1]. . .

MANUEL.   Bien está. . . (*Sale el Criado.*)

GONZÁLEZ.   Comprenda usted que yo necesitaba verle.

5   MANUEL.   Comprenda usted que yo no quiero ver a nadie. . .; a los amigos como usted mucho menos; sé lo que va usted a decirme. . . Es inútil, todo inútil; mi resolución es irrevocable. . . El presidente le ha dicho a usted lo que había. . ., ha leído usted los periódicos. . .;

10 no tengo que decirle más.

GONZÁLEZ.   Pero. . .

MANUEL.   Es inútil, todo inútil. . . Nadie dirá que yo he provocado el conflicto.   Desde mi entrada en el Ministerio, usted sabe a costa de cuántos sacrificios, mi

15 permanencia en él ha sido para mí una serie de abdicaciones; he podido aceptarlas mientras sólo se trataba de mis convicciones particulares, hasta de mis afectos; pero ahora, no; ahora se trata de mis compromisos con la opinión, con el país. . .; pretender esta nueva abdicación,

20 es tanto como renegar de toda mi historia política; de mi significación en el partido; de mi personalidad; de mi conciencia. . ., y a eso no puedo llegar, porque sería tanto como negarme a mí mismo.

GONZÁLEZ.   Pero, querido amigo, piense usted la

25 situación, el conflicto. . .

MANUEL.   No es culpa mía. . . Se desoyeron mis advertencias; se desdeñaron mis concesiones. . . Yo no soy un hombre de partido. . .; para mí, antes que los hombres están las ideas.

30 GONZÁLEZ.   Por eso mismo debe usted transigir con las personas, sin perjuicio de seguir con sus ideas.

MANUEL.   Es inútil.   Mi resolución es irrevocable.

Escena II

Dichos y Hernández

HERNÁNDEZ.   ¡Ah!, ya sabía yo que estaba usted en casa... El criado se empeñaba en negarme la entrada, querido González...

GONZÁLEZ.   Amigo Hernández... ¿Viene usted como yo... a convencer a nuestro ilustre amigo?...   5

HERNÁNDEZ.   A nuestro querido amigo... Pero usted le habrá convencido ya... Eso no puede ser...; ¡provocar una crisis en las actuales circunstancias..., una crisis... por una tontería!... Comprendo si hubiera usted tenido algún disgusto personal...; pero usted sabe que sólo 10 cuenta usted con [1] verdaderos amigos en el Gobierno y en la mayoría.

MANUEL.   Pero amigos que no piensan como yo en asuntos tan importantes como los que yo defiendo.

HERNÁNDEZ.   Pero ése no es motivo; a usted personal- 15 mente no se le niega nada.

MANUEL.   Se me niega el cumplimiento de mis compromisos ante la opinión, ante el país.

GONZÁLEZ.   Pero, ¿a qué [2] llama usted opinión? ¿A los periódicos? ¡Si se abstuviera usted de leerlos!... 20

MANUEL.   Mi padre tuvo la debilidad de mandarme al colegio y yo la de aprender a leer..., y la mala costumbre de leerlo todo. La actitud del avestruz ocultando la cabeza debajo del ala, para no ver el peligro, no es la actitud más propia de un hombre de gobierno... 25

GONZÁLEZ.   Pero, querido amigo, yo le creí a usted de más carácter.

MANUEL.   Hoy llaman ustedes carácter a no tener ninguno, a pasar por [3] todo.

HERNÁNDEZ. No, querido amigo; a sobreponerse a todo, que no es lo mismo..., a mostrarse superior a las circunstancias...

MANUEL. No se cansen ustedes, mi resolución es
5 irrevocable.

GONZÁLEZ. Pero, querido amigo... Reflexione usted... Compromete usted gravemente la situación, da usted armas a las oposiciones...

MANUEL. Al contrario, facilito una solución a mis
10 compañeros.

HERNÁNDEZ. Usted sabe que la provisión de su cartera en estos momentos mostraría más claramente las escisiones del partido.

MANUEL. Eso es lo que pretendo...; demarcar los
15 campos, aclarar la situación, despejar incógnitas.

GONZÁLEZ. Pero usted sabe el peligro de despejar incógnitas. Además, se expone usted a quedarse solo.

MANUEL. Me basto.[1]

HERNÁNDEZ. Mire usted que[2] se llegará al límite de
20 las concesiones...

MANUEL. A ese límite he llegado yo hace mucho tiempo.

HERNÁNDEZ. Que puede encontrarse una fórmula todavía..., una fórmula aceptable.

25 MANUEL. La que yo he propuesto.

GONZÁLEZ. Ésa no es posible.

MANUEL. No hay otra.

HERNÁNDEZ. Concédanos usted un plazo... Entre todos hallaremos una fórmula.

30 MANUEL. No.

GONZÁLEZ. Un día...

MANUEL. No.

GONZÁLEZ. Una hora. . .; hablaremos con el jefe, con el jefe de las oposiciones. . . Volveremos con su contestación. . . Pero ceda usted en algo. . .

MANUEL. Nunca. He llegado al límite de las concesiones.

HERNÁNDEZ. ¿Nos promete usted no hacer saber[1] a nadie su resolución hasta después de hablar nuevamente con nosotros?

MANUEL. Nada conseguirán ustedes. Y será inútil que vuelvan ustedes si no se acepta por entero mi última proposición de arreglo.

GONZÁLEZ. ¿Por entero?. . . Un paso más, querido amigo. . .

MANUEL. Yo no sé andar más que avanzando. Un paso más sería una concesión menos.

HERNÁNDEZ. Avance usted hacia la avenencia. . . Los demás avanzarán en el mismo sentido, y aquí no ha pasado nada. . . Entretanto. . ., una hora de espera. . ., una hora. . ., usted reflexione; entretanto. . ., nosotros trabajaremos. . .

MANUEL. Creo que no conseguirán ustedes nada. . . De mí han conseguido ustedes cuanto podía concederles: atención, gratitud por sus buenos deseos.

GONZÁLEZ. Usted sabe que somos de los leales. . .

HERNÁNDEZ. De los que le seguiremos a usted siempre que usted nos acompañe. Hasta ahora.

GONZÁLEZ. Querido amigo. . . (*Salen.*)

MANUEL. No estoy para nadie. . ., bajo ningún pretexto vuelvan a recibir a nadie. . . He salido en el automóvil. . . Estoy en el campo. . . No se sabe dónde estoy. . . A nadie, sea quien sea. . .

Escena III

Manuel y Emilia

EMILIA.   ¿Me concede audiencia el señor ministro?[1]

MANUEL.   Entra, entra...

EMILIA.   ¿No has leído todavía los periódicos?

MANUEL.   ¿Por qué?

5   EMILIA.   Porque todos los días te ponen de mal humor... ¡Si hicieras lo que yo!... Yo no los leo nunca...

MANUEL.   Debías presidir el Ministerio.

EMILIA.   Si acaso,[2] las noticias de sociedad, los teatros... y los anuncios.

10   MANUEL.   Sí; ahora pueden leerse los anuncios...

EMILIA.   Para saber lo que pasa me basta con mirarte a la cara... Hoy es un buen día...

MANUEL.   Sí, no ocurre nada...

EMILIA.   ¡Cuánto me alegro!... Por supuesto, nunca 15 ocurre nada... ¿Cuándo ha estado todo como ahora?... Eso es lo que molesta... Hasta los cambios han bajado...

MANUEL.   Ya sabes más que yo... Y dices que no lees los periódicos...

EMILIA.   No; lo sé por mi modisto... Me ha enviado 20 un encargo de París, y al pagarle... Le he pagado yo... ¿Qué dices?... No dirás que pido créditos extraordinarios[3]... Yo, yo..., sí, señor; de los presupuestos ordinarios...

MANUEL.   Así me gusta.

25   EMILIA.   ¡Oh, soy una gran ministra de Hacienda!... No tendrás queja de mí... ¡Sostener mis gastos de representación sin acudir al capítulo de imprevistos!... Y tú no sabes lo que eso cuesta... Me llaman elegante y dis-

tinguida en todos los periódicos..., los ministeriales y los de oposición.

MANUEL. Los cronistas de salones son siempre ministeriales. El gobierno de las mujeres es muy tiránico y no consiente la menor oposición.

EMILIA. O muy liberal y no las motiva... ¡Qué poco galante!

MANUEL. Y sepamos, ¿qué maravilla es ésa que ha llegado de París?

EMILIA. ¡Oh! Ya verás... Es un poema..., un sueño... ¡Un vestido ideal! Una obra de arte... Los hombres no saben apreciar esas delicadezas... Si acaso, el conjunto...; pero los detalles...

MANUEL. Es que uno de los detalles suele ser la factura.

EMILIA. ¿La factura? Un vestido así siempre es barato..., y a mí me hacen precios excepcionales. Este traje no sería para otra menos de los tres mil, y a mí me han puesto dos mil novecientos cuarenta y cinco..., todo comprendido...: Aduanas, envío...

MANUEL. Sí, es una ganga.

EMILIA. Una verdadera creación.[1]...; y el caso es que no tiene nada..., es el *chic*,[2] nada... Lo ves en la mano y dices: esto no vale nada..., cualquiera puede hacerlo; pero luego lo ves puesto... y... ya verás..., ya verás...

MANUEL. ¿Y cuándo voy a verlo?...

EMILIA. ¡Qué pregunta! Pasado mañana, en Palacio, en la comida en honor del príncipe turco.

MANUEL. Persa...

EMILIA. Es lo mismo... Esta vez no tendrás nada que decir del escote...

MANUEL. No, no diré nada...; entre otras cosas...; porque esa comida...

EMILIA. ¡Qué!... ¿Se ha suspendido? ¿No viene el príncipe?

MANUEL. Sí, el príncipe, sí... Además, si no viene ése, vendrá otro... Pero es que para ese día ya no seré ministro.

EMILIA. ¡Eh!... ¿Hay crisis? ¿Cómo es posible?... ¡Si no me ha dicho nada [1] la peinadora!...

MANUEL. La peinadora no lo sabrá todavía...

EMILIA. ¡Si peina a la de González y a la de Hernández!...

MANUEL. Es crisis parcial..., dimito yo sólo...

EMILIA. ¿Tú sólo? ¿Y qué has podido hacer para ser tú sólo el que dimite?

MANUEL. No voy a explicártelo ahora... Me sobran razones...

EMILIA. ¡Ah, pero es por tu gusto!

MANUEL. ¡Claro está!... ¿Creías que me habían echado?

EMILIA. Es que de otro modo no lo comprendo...

MANUEL. No estoy conforme con la marcha del Gobierno...; mis ideas son antes que todo...

EMILIA. Pero yo creí que tus ideas eran las del Gobierno...

MANUEL. Eso creía yo hasta ayer por la tarde.

EMILIA. ¡Ah, fué ayer por la tarde!... ¡Y no me dijiste nada!...

MANUEL. Quise tomarme [2] toda la noche para reflexionar.

EMILIA. ¡Ah, por eso estuviste tan desvelado!... ¿Y te aceptan la dimisión?

MANUEL.　Que la acepten o no la acepten [1]...

EMILIA.　¡Ah!, ¿pero no la has presentado todavía?

MANUEL.　Sí, particularmente..., por carta... Oficial no es todavía... Esperan convencerme; trabajan para ello...

EMILIA.　¿Y te convencerán?...

MANUEL.　Eso sí que no... Mi resolución es irrevocable.　He llegado al límite de las concesiones...

EMILIA.　¿No te dieron aquella credencial que pediste?

MANUEL.　Sí..., eso sí...; se desviven por complacerme...

EMILIA.　¿Entonces...?

MANUEL.　Pero no es eso..., no se trata de credenciales... Se trata de mis compromisos ante la opinión..., el país... ¿Qué voy a decirte? Puedes comprender que tendré mis razones...

EMILIA.　No lo sé...; pero salir tú sólo... La verdad, es muy desairado... Van a decir que no tienes razón...

MANUEL.　Ellos sí lo dirán...

EMILIA.　Ya ves..., y ellos se quedan... Es una triste gracia... y es dar gusto a tus enemigos...

MANUEL.　Mis enemigos tendrán que reconocer mi sinceridad.

EMILIA.　¡De modo que te importa más quedar bien con tus enemigos que con tus amigos!...

MANUEL.　Mira, Emilia, no he querido ver nunca en ti a un amigo político, mucho menos a un contrincante...

EMILIA.　Creo que nunca..., pero sí [2] una mujer que te aconseja siempre lo mejor...; eso debes haberlo visto en mí siempre.　No dirás que yo intervengo nunca en tus asuntos.　Nunca te he molestado con recomendaciones...,

y tú sabes si me las piden... He preferido quedar mal
con muchos amigos por no molestarte lo más mínimo...
Desde que eres ministro, ¿qué te he pedido? Que reco-
mendaras al novio de mi doncella para Orden público y
5 a una hermana de mi peinadora para que la contrataran
en un cinematógrafo de un diputado[1]... Lo que no podrás
decir es que yo he abusado nunca de mi posición. A otras
hubiera yo querido ver en mi caso... Ahí tienes a la de tu
compañero Ruiz Gómez, que no le da almuerzo ni comida
10 tranquila a su marido..., y cuando él no hace lo que
ella quiere, se va de Ministerio en Ministerio, poniéndole
en evidencia...

MANUEL. ¡Si no fuera más que de Ministerio en
Ministerio !

15 EMILIA. Ella le pide a todo el mundo.[2] Y su marido
tan contento.

MANUEL. No lo creas...; en Consejo se incomoda
mucho...

EMILIA. Pero no dimite... ¿Oyes? No hace más que
20 sonar el timbre... Amigos que vendrán a convencerte;
gente que vendrá a saber...

MANUEL. He dicho que no recibo a nadie...

EMILIA. ¿Pero tan serio es el motivo?

MANUEL. Muy serio.

25 EMILIA. ¿Y no puede haber, por lo menos, un aplazamiento?

MANUEL. ¿Para qué? Lo que ha de ser[3]... Pero tú
decías siempre que estabas deseando verme libre de
preocupaciones..., de disgustos...

30 EMILIA. Sí..., sí..., y lo digo...; pero precisamente...

MANUEL. Precisamente qué...

EMILIA. ¡Que para una vez que estaba yo contenta de ser ministra!...

MANUEL. Si tú no eres vanidosa... ¡No parece sino que tú necesitas que yo sea ministro para lucir..., para... ¡Ah, vamos!...; ese vestido de París..., el capricho de lucirlo pasado mañana... 5

EMILIA. ¿Qué quieres? ¡Estaba tan ilusionada!...

MANUEL. ¡Que no tendrás ocasión![1]... En cualquier baile...

EMILIA. No es de baile[2]... es de comida...; ése es su *chic*, que no sirve más que para comida, y para comida en Palacio. 10

MANUEL. ¡Y en honor de un príncipe persa!... ¡Tanto quieres puntualizar!... ¡No sé qué especialidad puede tener un vestido para no servir más que en ocasión de- 15 terminada!

EMILIA. ¡Qué quieres!...; éste es así..., y mi capricho es lucirlo en esta ocasión... ¿Por qué tú tenías tanto afán en ser ministro en este Gobierno más que en otros? Recuerda... 20

MANUEL. Sí, salgo por amor propio...

EMILIA. Por chafar a Hernández...; tú me lo dijiste... Pues figúrate que yo también quiero chafar a alguien..., a alguien que yo sé que se ha burlado de mí; mujer de alguno de tus compañeros de 25 Ministerio...

MANUEL. ¿Quién hace caso?

EMILIA. Sí, sí, me lo han dicho...; me consta: ha dicho que soy cursi... ¡Como soy la única joven del Ministerio!... 30

MANUEL. Y la más guapa, también puedes decirlo...

EMILIA. Eso lo dices tú..., y me gusta oírlo... Pero

eso lo puede ser cualquiera...; elegante, ya es **más** difícil...

MANUEL. También lo eres..., como debes serlo...

EMILIA. Sí..., ¡pero si vieras!... Yo comprendo que algunas veces no he estado acertada en la *toilette*..., pecaba por exceso...; pero ahora este vestido es de un supremo *chic*...; como que he sostenido correspondencia diaria con el modisto durante veinte días..., y muestras van y vienen, y figurines y descripciones..., y yo sin decidirme, y él ideando creaciones... «Sueño con usted», me dice en una de sus cartas...

MANUEL. ¡Caracoles!

EMILIA. «Piense usted en mí siempre», le digo yo en todas las mías...

MANUEL. ¡Pues sabes que cualquiera que leyese la correspondencia...!

EMILIA. Mira, voy a ponerme el vestido..., para ti... Quiero que lo veas antes que nadie, que lo admires...

MANUEL. No, no...; ya tendré ocasión...

EMILIA. Pasado mañana...

MANUEL. Sí, hay función en el Real y quieres ponértelo...

EMILIA. Para el Real... es demasiado; llamaría la atención...

MANUEL. ¡Pues si no es eso lo que te propones...!

EMILIA. ¿Llamar la atención? ¡De ningún modo! El verdadero *chic* es ése... No llamar la atención y que todo el mundo se fije...

MANUEL. No me explico [1] cómo puede ser eso; pero, en fin, la *toilette* tiene sus secretos...

EMILIA. Como la política... Y hoy va a tener uno...

MANUEL. ¿Uno? ¿Cuál?

Emilia.   El desistir de tu dimisión.

Manuel.   Sí..., por un vestido... ¡Tendría que ver![1]

Emilia.   Por el vestido no, por mí... ¿No valgo yo ese sacrificio..., que no lo[2] es..., porque tú serás el pri-   5
mero en alegrarte como todos tus amigos?

Manuel.   Mis amigos sí..., ¡y cómo se reirían!

Emilia.   ¡Sí que[3] ellos no habrán hecho cosas más graves por cosas de menor importancia!

Manuel.   ¿De menos importancia que el capricho de   10
lucir el vestido?

Emilia.   El de lucir ellos alguna banda o algún discurso preparado. Todo, satisfacción de la vanidad...; pero a los hombres os parece[4] que vuestras vanidades son más trascendentales... Después de todo, ¿por qué te empeñas   15
en dimitir? Por vanidad.

Manuel.   ¡Dignidad!

Emilia.   ¡Vanidad! Porque dijiste una cosa y no quieres decir otra...; la vanidad de sostener tu carácter..., y por ella comprometes a tus amigos, ex-   20
pones al Gobierno a una crisis desagradable..., de mal efecto...; pasarás por[5] orgulloso, por testarudo...,
por no saber amoldarte a las circunstancias... Ese defecto lo has tenido siempre...; te lo dicen los periódicos todos los días...   25

Manuel.   ¿No quedamos en que no los leías?

Emilia.   Alguna vez...; y cuando esa vez da la casualidad..., es que te lo dirán todos los días... «La terquedad del señor ministro... su inflexibilidad...
El señor ministro confunde la tozudez con el carácter...»   30
Tienen mucha razón, y eso que no te ven en casa...

Manuel.   ¡Emilia! Me desagrada oírte...

EMILIA. La verdad desagrada siempre... Pero no me dirás que tú solo vas a tener más razón que todo el Ministerio... Y aunque la tuvieras...; entre personas educadas se cede...; ellos cederán otras veces... Vas a
5 ponerte en ridículo... Te habrá aconsejado tu amigote Pepe..., porque tú eres así...: mucho carácter, y luego te dejas llevar de cualquiera, del que te aconseja con peor intención... Porque Pepe [1] lo que está deseando es que dejes de ser ministro; te tiene mucha envidia.

10 MANUEL. ¿Pero qué tiene que ver Pepe, ni qué me aconseja?...

EMILIA. No digas [2]..., siempre, para todo... Hasta cuando pusimos el comedor y tu despacho... tuvo que ser como él dijo..., una cursilería..., el comedor mo-
15 dernista, que parece un café de provincia, y tu despacho, en cambio, que parece una funeraria... Como lo de llevarte a su sastre, que no sabe vestirte... La otra noche me fijé en el baile de la Embajada: nadie lleva el chaleco de frac en forma de corazón, como el que te han hecho...,
20 ni las vueltas de raso..., y esos chalecos de fantasía que llevas son ridículos, y ya verás cómo la toman [3] contigo en las caricaturas...

MANUEL. ¡Emilia! ¡Emilia! Que mis nervios están en tensión y ya no respondo.

25 EMILIA. No te faltaba más que yo pagase tus disgustos políticos. Como la política me ha dado tantas satisfacciones...: sacrificios, molestias... Por ti he perdido las relaciones con mis mejores amigas..., y en cambio tengo que tratar a mucha gente que me desa-
30 grada..., a quien yo no distingo..., que no debía de tratar..., y así en todo..., siempre sacrificada... El verano pasado sin tomar las aguas por no dejarte solo

en Madrid, porque tú no podías salir con las dichosas
Cortes..., y estas Navidades sin poder ir a ver a mamá
con los dichosos proyectos, y para una satisfacción que
podía una tener una vez..., para un capricho que tiene
una..., como si fuera un crimen..., ya es una una 5
intrigante, ya exige una demasiado, ya compromete una
su carrera política, su dignidad..., ¡qué sé yo!... No
te faltaba más que decir que yo te pongo en ridículo, como
la de Ruiz Gómez a su marido...; pero me lo dirás...,
me lo dirás...   10

MANUEL. ¡Emilia, Emilia!...

EMILIA. No, si ahora soy quien desea que presentes la
dimisión... ahora mismo, ahora mismo...; pero no
vuelvas a hablarme de política ni de carteras... Nos
iremos a vivir a un pueblo, donde siquiera tenga [1] tran- 15
quilidad..., lo único que yo he deseado siempre..., una
casita en un pueblo con sus gallinas y sus palomas...,
eso, eso..., y nada de este infierno, de estas intrigas...
Todo antes que verte así..., todo antes de que quieras
pagar conmigo porque los demás te disgustan...   20

MANUEL. Esto es peor que veinte discursos de oposición... Me voy al Congreso..., al Senado..., todo es
preferible... El gabán... El sombrero...

EMILIA. ¿Pero no llevas la dimisión?

MANUEL. No, no dimito... Sin el Ministerio no tendría 25
pretexto para estar tanto tiempo fuera de casa..., y
cualquiera te aguantaba [2] en un año... Irás a la comida,
lucirás el vestido. No será la primera vez que una falda
haya decidido una crisis... ¿Estás contenta?

EMILIA. Sí, pero no te enfades... ¡Cuando veas el 30
vestido, lo comprenderás todo!...

MANUEL. Sí, pero al día siguiente sí que no debes

leer más que la crónica de sociedad, porque ¡lo que van a decir de mí los periódicos!

EMILIA. Los de oposición. Si hubieras dimitido lo dirían los ministeriales... ¡Siempre han de decir!

5 MANUEL. ¡Y aun piden las mujeres que os concedan [1] el derecho a votar, como si no gobernarais el mundo!...

EMILIA. Yo no, no pido semejante cosa... Si se presenta la proposición puedes votar en contra.

LOS INTERESES CREADOS

COMEDIA DE POLICHINELAS
EN DOS ACTOS, TRES CUADROS Y UN PRÓLOGO

Estrenada en el Teatro Lara el día 9 de diciembre
de 1907

REPARTO

La acción pasa en un país imaginario, a principios
del siglo XVII

LOS INTERESES CREADOS

ACTO PRIMERO

PRÓLOGO

Telón corto en primer término,[1] con puerta al foro, y en ésta un tapiz. Recitado por el personaje CRISPÍN.

He aquí el tinglado de la antigua farsa,[2] la que alivió en posadas aldeanas el cansancio de los trajinantes, la que embobó en las plazas de humildes lugares a los simples villanos, la que juntó en ciudades populosas a los más variados concursos, como en París sobre el Puente Nuevo,[3] cuando Tabarín [4] desde su tablado de feria solicitaba la atención de todo transeunte, desde el espetado doctor que detiene un momento su docta cabalgadura para desarrugar por un instante la frente, siempre cargada de graves pensamientos, al escuchar algún donaire de la alegre farsa, hasta el pícaro hampón, que allí divierte sus ocios horas y horas, engañando al hambre con la risa, y el prelado y la dama de calidad y el gran señor desde sus carrozas, como la moza alegre y el soldado y el mercader y el estudiante. Gente de toda condición, que en ningún otro lugar se hubiera reunido, comunicábase allí su regocijo, que [5] muchas veces, más que de la farsa, reía el grave de ver reír al risueño, y el sabio al bobo, y los pobretes de ver reír a los grandes señores, ceñudos de ordinario, y los grandes de ver reír a los pobretes, tranquilizada su conciencia con pensar: ¡también los pobres

39

ríen ! Que[1] nada prende tan pronto de unas almas en otras
como esta simpatía de la risa. Alguna vez, también subió
la farsa a palacios de príncipes, altísimos señores, por
humorada de sus dueños, y no fué allí menos libre y despre-
5 ocupada. Fué de todos y para todos. Del pueblo recogió
burlas y malicias y dichos sentenciosos, de esa filosofía
del pueblo, que siempre sufre, dulcificada por aquella
resignación de los humildes de entonces, que no lo es-
peraban todo de este mundo, y por eso sabían reírse del
10 mundo sin odio y sin amargura. Ilustró después su plebeyo
origen con noble ejecutoria: Lope de Rueda, Shakespeare,
Molière,[2] como enamorados príncipes de cuento de hadas,
elevaron a Cenicienta al más alto trono de la Poesía y
del Arte. No presume de tan gloriosa estirpe esta farsa,
15 que por curiosidad de su espíritu inquieto os presenta
un poeta de ahora. Es una farsa *guiñolesca*,[3] de asunto
disparatado, sin realidad alguna. Pronto veréis cómo
cuanto en ella sucede no pudo suceder nunca, que sus
personajes no son ni semejan hombres y mujeres, sino
20 muñecos o fantoches de cartón y trapo, con groseros
hilos, visibles a poca luz y al más corto de vista. Son las
mismas grotescas máscaras de aquella comedia del Arte [4]
italiano,[5] no tan regocijadas como solían, porque han medi-
tado mucho en tanto tiempo. Bien conoce el autor que
25 tan primitivo espectáculo no es el más digno de un culto
auditorio de estos tiempos; así, de vuestra cultura tanto
como de vuestra bondad se ampara. El autor sólo pide
que aniñéis cuanto sea posible vuestro espíritu. El mundo
está ya viejo y chochea; el Arte no se resigna a envejecer,
30 y por parecer niño finge balbuceos. . . Y he aquí cómo
estos viejos polichinelas pretenden hoy divertiros con sus
niñerías.[6]

Mutación

CUADRO PRIMERO

Plaza de una ciudad. A la derecha, en primer término, fachada de una hostería con puerta practicable y en ella un aldabón. Encima de la puerta un letrero que diga:[1] « Hostería. »

ESCENA PRIMERA

LEANDRO y CRISPÍN, que salen por la segunda
izquierda.

LEANDRO.   Gran ciudad ha de ser ésta, Crispín; en todo se advierte su señoría y riqueza.

CRISPÍN.   Dos ciudades hay. ¡Quiera el Cielo que en la mejor hayamos dado![2]

LEANDRO.   ¿Dos ciudades dices, Crispín? Ya entiendo, 5 antigua y nueva, una de cada parte del río.

CRISPÍN.   ¿Qué importa el río ni la vejez ni la novedad? Digo dos ciudades como en toda ciudad del mundo: una para el que llega con dinero, y otra para el que llega como nosotros.   10

LEANDRO.   ¡Harto es haber llegado sin tropezar con la Justicia! Y bien quisiera detenerme aquí algún tiempo, que ya me cansa tanto correr tierras.

CRISPÍN.   A mí no, que es condición de los naturales, como yo, del libre reino de Picardía[3] no hacer asiento en 15 parte alguna, si no es forzado y en galeras, que es duro asiento.[4] Pero ya que sobre esta ciudad caímos y es plaza fuerte a lo que se descubre, tracemos como prudentes capitanes nuestro plan de batalla si hemos de conquistarla con provecho.   20

LEANDRO. ¡Mal pertrechado ejército venimos!

CRISPÍN. Hombres somos, y con hombres hemos de vernos.

LEANDRO. Por todo caudal, nuestra persona. No
5 quisiste que nos desprendiéramos de estos vestidos, que,[1] malvendiéndolos, hubiéramos podido juntar algún dinero.

CRISPÍN. ¡Antes me desprendiera yo de la piel que de un buen vestido! Que nada importa tanto como parecer,
10 según va el mundo, y el vestido es lo que antes parece.

LEANDRO. ¿Qué hemos de hacer, Crispín? Que el hambre y el cansancio me tienen abatido, y mal discurro.

CRISPÍN. Aquí no hay sino valerse del ingenio y de la desvergüenza, que sin ella nada vale el ingenio. Lo que
15 he pensado es que tú has de hablar poco y desabrido,[2] para darte aires de persona de calidad; de vez en cuando te permito que descargues algún golpe sobre mis costillas; a cuantos te pregunten, responde misterioso; y cuando hables por tu cuenta, sea con gravedad; como si senten-
20 ciaras. Eres joven, de buena presencia; hasta ahora sólo supiste malgastar tus cualidades; ya es hora de aprove-charse de ellas. Ponte en mis manos, que nada conviene tanto a un hombre como llevar a su lado quien haga notar sus méritos, que en uno mismo la modestia es necedad y
25 la propia alabanza locura, y con las dos se pierde para el mundo. Somos los hombres[3] como mercancía, que valemos más o menos según la habilidad del mercader que nos presenta. Yo te aseguro que así[4] fueras vidrio, a mi cargo corre que pases por diamante. Y ahora llamemos
30 a esta hostería, que lo primero es acampar a vista de la plaza.

LEANDRO. ¿A la hostería dices? ¿Y cómo pagaremos?

CRISPÍN. Si por tan poco te acobardas, busquemos un hospital o casa de misericordia, o pidamos limosna, si a lo piadoso nos acogemos; y si a lo bravo, volvamos al camino y salteemos al primer viandante; si a la verdad de nuestros recursos nos atenemos, no son otros nuestros 5 recursos.

LEANDRO. Yo traigo cartas de introducción para personas de valimiento en esta ciudad, que podrán socorrernos.

CRISPÍN. ¡Rompe luego esas cartas, y no pienses en 10 tal bajeza! ¡Presentarnos a nadie como necesitados! ¡Buenas cartas de crédito son ésas! Hoy te recibirán con grandes cortesías, te dirán que su casa y su persona son tuyas, y a la segunda vez que llames a su puerta, ya te dirá el criado que su señor no está en casa ni para en ella; 15 y a otra visita, ni te abrirán la puerta. Mundo es éste de toma y daca; lonja de contratación, casa de cambio, y antes de pedir, ha de ofrecerse.

LEANDRO. ¿Y qué podré yo ofrecer si nada tengo?

CRISPÍN. ¡En qué poco te estimas! Pues qué, un 20 hombre por sí, ¿nada vale? Un hombre puede ser soldado, y con su valor decidir una victoria; puede ser galán o marido, y con dulce medicina curar a alguna dama de calidad o doncella de buen linaje que se sienta morir de melancolía; puede ser criado de algún señor poderoso 25 que se aficione de él y le eleve hasta su privanza, y tantas cosas más que no he de enumerarte. Para subir, cualquier escalón es bueno.

LEANDRO. ¿Y si aun ese escalón me falta?

CRISPÍN. Yo te ofrezco mis espaldas para encumbrarte. 30 Tú te verás en alto.

LEANDRO. ¿Y si los dos damos en tierra?

CRISPÍN.   Que ella nos sea [1] leve. (*Llamando a la hostería con el aldabón.*) ¡Ah de la hostería! ¡Hola, digo! ¡Hostelero o demonio! ¿Nadie responde? ¿Qué casa es ésta?

5   LEANDRO.   ¿Por qué esas voces si apenas llamasteis? [2]

CRISPÍN.   ¡Porque es ruindad hacer esperar de ese modo! (*Vuelve a llamar más fuerte.*) ¡Ah de la gente! ¡Ah de la casa! ¡Ah de todos los diablos!

HOSTELERO.   (*Dentro.*) ¿Quién va? ¿Qué voces y qué 10 modos son éstos? No hará tanto que esperan.

CRISPÍN.   ¡Ya fué [3] mucho! Y bien nos informaron que es ésta muy ruin posada para gente noble.

ESCENA II

DICHOS, el HOSTELERO y dos MOZOS que salen de la hostería.

HOSTELERO.   (*Saliendo.*) Poco a poco, que no es posada, sino hospedería, y muy grandes señores han parado en 15 ella.

CRISPÍN.   Quisiera yo ver a ésos que llamáis [4] grandes señores. Gentecilla de poco más o menos. Bien se advierte en esos mozos que no saben conocer a las personas de calidad, y se [5] están ahí como pasmarotes sin atender a 20 nuestro servicio.

HOSTELERO.   ¡Por vida que sois impertinente!

LEANDRO.   Este criado mío siempre ha de extremar su celo. Buena es vuestra posada para el poco tiempo que he de parar en ella. Disponed luego un aposento para mí 25 y otro para este criado, y ahorremos palabras.

HOSTELERO.   Perdonad, señor; si antes hubierais hablado. . . Siempre los señores han de ser más comedidos que sus criados.

CRISPÍN. Es que este buen señor mío a todo se acomoda; pero yo sé lo que conviene a su servicio, y no he de pasar por cosa mal hecha. Conducidnos ya al aposento.

HOSTELERO. ¿No traéis bagaje alguno?

CRISPÍN. ¿Pensáis que nuestro bagaje es hatillo de soldado o de estudiante para traerlo a mano, ni que mi señor ha de traer aquí ocho carros, que tras nosotros vienen, ni que aquí ha de parar sino el tiempo preciso que conviene al secreto de los servicios que en esta ciudad le están encomendados?...

LEANDRO. ¿No callarás? ¿Qué secreto ha de haber contigo? ¡Pues voto a... que si alguien me descubre por tu hablar sin medida...! (*Le amenaza y le pega con la espada.*)

CRISPÍN. ¡Valedme, que [1] me matará! (*Corriendo.*)

HOSTELERO. (*Interponiéndose entre Leandro y Crispín.*) ¡Teneos, señor!

LEANDRO. Dejad que le castigue, que no hay falta para mí como el hablar sin tino.

HOSTELERO. ¡No le castiguéis, señor!

LEANDRO. ¡Dejadme, dejadme, que no aprenderá nunca! (*Al ir a pegar a Crispín, éste se esconde detrás del Hostelero, quien recibe los golpes.*)

CRISPÍN. (*Quejándose.*) ¡Ay, ay, ay!

HOSTELERO. ¡Ay, digo yo, que me dió de plano!

LEANDRO. (*A Crispín.*) Ve a lo que [2] diste lugar; a que este infeliz fuera el golpeado. ¡Pídele perdón!

HOSTELERO. No es menester. Yo le perdono gustoso. (*A los criados.*) ¿Qué hacéis ahí parados? Disponed los aposentos donde suele parar el embajador de Mantua y preparad comida para este caballero.

CRISPÍN. Dejad que yo les advierta de todo, que

cometerán mil torpezas y pagaré yo luego, que mi señor,
como veis, no perdona falta... Soy con vosotros,[1] mucha-
chos... Y tened cuenta a quien servís, que la mayor fortuna o la mayor desdicha os entró por las puertas. (*Entran*
5 *los criados y Crispín en la hostería.*)

HOSTELERO.   (*A Leandro.*) ¿Y podéis decirme vuestro
nombre, de dónde venís y a qué propósito?...

LEANDRO.   (*Al ver salir a Crispín de la hostería.*) Mi
criado os lo dirá... Y aprended a no importunarme con
10 preguntas... (*Entra en la hostería.*)

CRISPÍN.   ¡Buena la hicisteis![2] ¿Atreverse a preguntar
a mi señor? Si os importa tenerle una hora siquiera en
vuestra casa, no volváis a dirigirle la palabra.

HOSTELERO.   Sabed que hay Ordenanzas[3] muy severas
15 que así lo disponen.

CRISPÍN.   ¡Veníos[4] con Ordenanzas a mi señor!
¡Callad, callad, que no sabéis a quién tenéis en vuestra
casa, y si lo supierais no diríais tantas impertinencias!

HOSTELERO.   ¿Pero no he de saber siquiera...?

20 CRISPÍN.   ¡Voto a..., que llamaré a mi señor y él os
dirá lo que conviene, si no lo entendisteis! ¡Cuidad de
que nada le falte y atendedle con vuestros cinco sentidos,
que bien puede pesaros! ¿No sabéis conocer a las personas?
¿No visteis ya quién es mi señor? ¿Qué replicáis?
25 ¡Vamos ya! (*Entra en la hostería empujando al Hostelero.*)

ESCENA III

ARLEQUÍN y el CAPITÁN, que salen por la segunda
izquierda.

ARLEQUÍN.   Vagando por los campos que rodean esta
ciudad, lo mejor de ella sin duda alguna, creo que sin

pensarlo hemos venido a dar frente a la hostería. ¡Animal de costumbre es el hombre! ¡Y dura costumbre la de alimentarse cada día!

CAPITÁN.   ¡La dulce música de vuestros versos me distrajo de mis pensamientos! ¡Amable privilegio de los poetas!

ARLEQUÍN.   ¡Que no les impide carecer de todo! Con temor llego a la hostería. ¿Consentirán hoy en fiarnos? ¡Válgame vuestra espada!

CAPITÁN.   ¿Mi espada? Mi espada de soldado como vuestro plectro de poeta, nada valen en esta ciudad de mercaderes y de negociantes... ¡Triste condición es la nuestra!

ARLEQUÍN.   Bien decís. No la sublime poesía, que sólo canta de nobles y elevados asuntos; ya ni sirve poner el ingenio a las plantas de los poderosos para elogiarlos o satirizarlos; alabanzas o diatribas no tienen valor para ellos; ni agradecen las unas ni temen las otras. El propio Aretino [1] hubiera muerto de hambre en estos tiempos.

CAPITÁN.   ¿Y nosotros, decidme? Porque fuimos vencidos en las últimas guerras, más que por el enemigo poderoso, por esos indignos traficantes que nos gobiernan y nos enviaron a defender sus intereses sin fuerzas y sin entusiasmo, porque nadie combate con fe por lo que no estima; ellos, que no dieron uno de los suyos para soldado ni soltaron moneda sino a buen interés y a mejor cuenta, y apenas temieron verla perdida amenazaron con hacer causa con el enemigo, ahora nos culpan a nosotros y nos maltratan y nos menosprecian y quisieran ahorrarse la mísera soldada con que creen pagarnos, y de muy buena gana nos despedirían si no temieran que un día todos los oprimidos por sus maldades y tiranías se levantaran contra ellos. ¡Pobres de ellos [1] si ese día nos acordamos de qué parte están la razón y la justicia!

ARLEQUÍN. Si así fuera..., ese día me tendréis a vuestro lado.

5 CAPITÁN. Con los poetas no hay que contar para nada, que es vuestro espíritu como el ópalo, que a cada luz hace diversos visos. Hoy os apasionáis por lo que nace y mañana por lo que muere; pero más inclinados sois a enamoraros de todo lo ruinoso por melancólico.[2] Y como 10 sois por lo regular poco madrugadores, más veces visteis morir el sol que amanecer el día, y más sabéis de sus ocasos que de sus auroras.

ARLEQUÍN. No lo diréis por mí, que he visto amanecer muchas veces cuando no tenía donde acostarme. ¿Y cómo 15 queríais que cantara al día, alegre como alondra, si amanecía tan triste para mí? ¿Os decidís a probar fortuna?

CAPITÁN. ¡Qué remedio! Sentémonos, y sea lo que disponga nuestro buen hostelero.

ARLEQUÍN. ¡Hola! ¡Eh! ¿Quién sirve? (*Llamando en* 20 *la hostería.*)

ESCENA IV

DICHOS; el HOSTELERO. Después los MOZOS, LEANDRO y CRISPÍN, que salen a su tiempo de la hostería.

HOSTELERO. ¡Ah, caballeros! ¿Sois vosotros?[3] Mucho lo siento, pero hoy no puedo servir a nadie en mi hostería.

CAPITÁN. ¿Y por qué causa, si puede saberse?

HOSTELERO. ¡Lindo desahogo es el vuestro en pre-25 guntarlo! ¿Pensáis que a mí me fía nadie lo que en mi casa se gasta?

CAPITÁN. ¡Ah! ¿Es ése el motivo? ¿Y no somos personas de crédito a quien puede fiarse?

HOSTELERO.   Para mí, no. Y como nunca pensé cobrar, para favor ya fué bastante; conque así, hagan merced [1] de no volver por mi casa.

ARLEQUÍN.   ¿Creéis que todo es dinero en este bajo mundo? ¿Contáis por nada las ponderaciones que de vuestra casa hicimos en todas partes? ¡Hasta un soneto os tengo dedicado,[2] y en él celebro vuestras perdices estofadas y vuestros pasteles de liebre!... Y en cuanto al señor Capitán, tened por seguro que él solo sostendrá contra un ejército el buen nombre de vuestra casa. ¿Nada vale esto? ¡Todo ha de ser moneda contante en el mundo!

HOSTELERO.   ¡No estoy para burlas! No he menester [3] de vuestros sonetos ni de la espada del señor Capitán, que mejor pudiera emplearla.

CAPITÁN.   ¡Voto a..., que sí la emplearé escarmentando a un pícaro! (*Amenazándole y pegándole con la espada.*)

HOSTELERO.   (*Gritando.*) ¿Qué es esto? ¿Contra mí? ¡Favor! ¡Justicia!

ARLEQUÍN.   (*Conteniendo al Capitán.*) ¡No os perdáis por tan ruin sujeto!

CAPITÁN.   He de matarle. (*Pegándole.*)

HOSTELERO.   ¡Favor! ¡Justicia!

MOZOS.   (*Saliendo de la hostería.*) ¡Que matan a nuestro amo!

HOSTELERO.   ¡Socorredme!

CAPITÁN.   ¡No dejaré uno!

HOSTELERO.   ¿No vendrá nadie?

LEANDRO.   (*Saliendo con Crispín.*) ¿Qué alboroto es éste?

CRISPÍN.   ¿En lugar donde mi señor se hospeda? ¿No hay sosiego posible en vuestra casa? Yo traeré a la Justicia, que pondrá orden en ello.

HOSTELERO.   ¡Esto ha de ser mi ruina! ¡Con tan gran señor en mi casa!

ARLEQUÍN.   ¿Quién es él?

HOSTELERO.   ¡No oséis preguntarlo!

5   CAPITÁN.   Perdonad, señor, si turbamos vuestro reposo; pero este ruin hostelero...

HOSTELERO.   No fué mía la culpa, señor, sino de estos desvergonzados...

CAPITÁN.   ¿A mí desvergonzado? ¡No miraré 10 nada![1]...

CRISPÍN.   ¡Alto, señor Capitán, que aquí tenéis quien satisfaga vuestros agravios, si los tenéis de este hombre!

HOSTELERO.   Figuraos que ha[2] más de un mes que 15 comen a mi costa sin soltar blanca, y porque me negué hoy a servirles se vuelven contra mí.

ARLEQUÍN.   Yo no, que todo lo llevo con paciencia.

CAPITÁN.   ¿Y es razón que a un soldado no se le haga crédito?

20   ARLEQUÍN.   ¿Y es razón que en nada se estime un soneto con estrambote que compuse a sus perdices estofadas y a sus pasteles de liebre?... Todo por fe, que no los probé nunca, sino carnero y potajes.

CRISPÍN.   Estos dos nobles señores dicen muy bien, 25 y es indignidad tratar de ese modo a un poeta y a un soldado.

ARLEQUÍN.   ¡Ah, señor; sois un[3] alma grande!

CRISPÍN.   Yo, no. Mi señor, aquí presente; que como tan gran señor, nada hay para él en el mundo como un 30 poeta y un soldado.

LEANDRO.   Cierto.

CRISPÍN.   Y estad seguros de que mientras él **pare** en

esta ciudad no habéis de carecer de nada, y cuanto gasto
hagáis aquí corre de su cuenta.

LEANDRO. Cierto.

CRISPÍN. ¡Y mírese [1] mucho el hostelero en trataros
como corresponde!   5

HOSTELERO. ¡Señor!

CRISPÍN. Y no seáis tan avaro de vuestras perdices ni
de vuestras empanadas de gato, que no es razón que un
poeta como el señor Arlequín hable por sueño de cosas
tan palpables. . .   10

ARLEQUÍN. ¿Conocéis mi nombre?

CRISPÍN. Yo, no; pero mi señor, como tan gran señor,
conoce a cuantos poetas existen y existieron, siempre
que sean dignos de ese nombre.

LEANDRO. Cierto.   15

CRISPÍN. Y ninguno tan grande como vos, señor
Arlequín; y cada vez que pienso que aquí no se os ha
guardado todo el respeto que merecéis. . .

HOSTELERO. Perdonad, señor. Yo les serviré como
mandáis, y basta que seáis su fiador. . .   20

CAPITÁN. Señor, si en algo puedo serviros. . .

CRISPÍN. ¿Es poco servicio el conoceros? ¡Glorioso Capitán, digno de ser cantado por este solo
poeta!. . .

ARLEQUÍN. ¡Señor!   25

CAPITÁN. ¡Señor!

ARLEQUÍN. ¿Y os son conocidos mis versos?

CRISPÍN. ¿Cómo conocidos? [2] ¡Olvidados los tengo! [3]
¿No es vuestro aquel soneto admirable que empieza:

«La dulce mano que acaricia y mata»?   30

ARLEQUÍN. ¿Cómo decís?

CRISPÍN. «La dulce mano que acaricia y mata.»

ARLEQUÍN.   ¿Ése decís? No, no es mío ese soneto.

CRISPÍN.   Pues merece ser vuestro. Y de vos,[1] Capitán,
¿quién no conoce las hazañas? ¿No fuisteis el que sólo
con veinte hombres asaltó el castillo de las Peñas Rojas
5 en la famosa batalla de los Campos Negros?

CAPITÁN.   ¿Sabéis...?

CRISPÍN.   ¿Cómo si sabemos?[2] ¡Oh! ¡Cuántas veces
se lo oí referir a mi señor entusiasmado! Veinte hombres,
veinte y vos delante, y desde el castillo... ¡bum! ¡bum!
10 ¡bum!, disparos, y bombardas, y pez hirviente, y demonios
encendidos... ¡Y los veinte hombres como un solo hombre
y vos delante! Y los de arriba... ¡bum! ¡bum! ¡bum!
Y los tambores... ¡ran, rataplán, plan! Y los clarines...
¡tararí, tarí, tarí!... Y vosotros sólo con vuestra espada
15 y vos[3] sin espada... ¡ris, ris, ris!, golpe aquí, golpe
allí..., una cabeza, un brazo... (*Empieza a golpes con la
espada, dándole de plano al Hostelero y a los Mozos.*)

MOZOS.   ¡Ay, ay!

HOSTELERO.   ¡Téngase, que se apasiona como si pasara!

20 CRISPÍN.   ¿Cómo si me apasiono? Siempre sentí yo el
animus belli.

CAPITÁN.   No parece sino que os hallasteis presente.

CRISPÍN.   Oírselo referir a mi señor, es como verlo, mejor que verlo. ¡Y a un soldado así, al héroe de las Peñas Ro-
25 jas en los Campos Negros se le trata de esa manera!...
¡Ah! Gran suerte fué que mi señor se hallase presente, y
que negocios de importancia le hayan traído a esta ciudad,
donde él hará que se os trate[4] con respeto, como merecéis... ¡Un poeta tan alto, un tan gran capitán! (*A los
30 Mozos.*) ¡Pronto! ¿Qué hacéis ahí como estafermos?
Servidles de lo mejor que haya en vuestra casa, y ante
todo una botella del mejor vino, que mi señor quiere

SIRENA. ¿Pues qué pensaste? ¡Y qué diré de ti, que aun no los cumpliste y no sabes aprovecharlo! ¡Nunca lo creyera [1] cuando al verme tan sola de criada te adopté por sobrina! Si en vez de malograr tu juventud enamorándote de ese Arlequín, ese poeta que nada puede ofrecerte [5] sino versos y músicas, supieras emplearte mejor, no nos veríamos en tan triste caso.

COLOMBINA. ¿Qué queréis? Aun soy demasiado joven para resignarme a ser amada y no corresponder. Y si he de adiestrarme en hacer padecer por mi amor, necesito [10] saber antes cómo se padece cuando se ama. Yo sabré desquitarme. Aun no cumplí los veinte años. No me creáis con tan poco juicio que piense en casarme con Arlequín.

SIRENA. No me fío de ti, que eres muy caprichosa y [15] siempre te dejaste llevar de la fantasía. Pero pensemos en lo que ahora importa. ¿Qué haremos en tan gran apuro? No tardarán en acudir mis convidados, todos personas de calidad y de importancia, y entre ellas el señor Polichinela con su esposa y su hija, que por muchas [20] razones me importan más que todos. Ya sabes cómo frecuentan esta casa algunos caballeros nobilísimos, pero, como yo, harto deslucidos en su nobleza por falta de dinero. Para cualquiera de ellos, la hija del señor Polichinela, con su riquísima dote y el gran caudal que ha de [25] heredar a la muerte de su padre, puede ser un partido muy ventajoso. Muchos son los que la pretenden. En favor de todos ellos interpongo yo mi buena amistad con el señor Polichinela y su esposa. Cualquiera que sea el favorecido, yo sé que ha de corresponder con largueza a [30] mis buenos oficios, que de todos me hice firmar una obligación para asegurarme. Ya no me quedan otros

medios que estas mediaciones para reponer en algo mi
patrimonio; si de camino algún rico comerciante o mercader se prendara de ti..., ¿quién sabe?..., aun podía
ser esta casa lo que fué en otro tiempo. Pero si esta noche
5 la insolencia de esa gente trasciende, si no puedo ofrecer
la fiesta... ¡No quiero pensarlo!..., ¡que será mi ruina!

COLOMBINA. No paséis cuidado. Con qué agasajarlos
no ha de faltar. Y en cuanto a músicos y a criados, el
señor Arlequín, que por algo es poeta y para algo está
10 enamorado de mí, sabrá improvisarlo todo. Él conoce a
muchos truhanes de buen humor que han de prestarse a
todo. Ya veréis, no faltará nada, y vuestros convidados
dirán que no asistieron en su vida a tan maravillosa fiesta.

SIRENA. ¡Ay, Colombina! Si eso fuera, ¡cuánto ganarías
15 en mi afecto! Corre en busca de tu poeta... No hay que
perder tiempo.

COLOMBINA. ¿Mi poeta? Del otro lado de estos jardines
pasea, de seguro, aguardando una seña mía...

SIRENA. No será bien que asista a vuestra entrevista,
20 que yo no debo rebajarme en solicitar tales favores...
A tu cargo lo dejo. ¡Que nada falte para la fiesta, y yo
sabré recompensar a todos; que esta estrechez angustiosa de
ahora no puede durar siempre... o no sería yo doña Sirena!

COLOMBINA. Todo se compondrá. Id descuidada.
15 (*Vase doña Sirena por el pabellón.*)

ESCENA II

COLOMBINA, después CRISPÍN, que sale por la segunda derecha.

COLOMBINA. (*Dirigiéndose a la segunda derecha y
llamando.*) ¡Arlequín! ¡Arlequín! (*Al ver salir a Crispín.*)
¡No es él!

CRISPÍN. No temáis, hermosa Colombina, amada del más soberano ingenio, que por ser raro poeta en todo, no quiso extremar en sus versos las ponderaciones de vuestra belleza. Si de lo vivo a lo pintado fué siempre diferencia, es toda en esta ocasión ventaja de lo vivo, ¡con ser tal [1] la pintura!

COLOMBINA. Y vos, ¿sois también poeta, o sólo cortesano y lisonjero?

CRISPÍN. Soy el mejor amigo de vuestro enamorado Arlequín, aunque sólo de hoy le conozco, pero tales pruebas tuvo de mi amistad en tan corto tiempo. Mi mayor deseo fué el de saludaros, y el señor Arlequín no anduviera [2] tan discreto en complacerme a no fiar tanto [3] de mi amistad, que sin ella, fuera ponerme a riesgo de amaros sólo con haberme puesto en ocasión de veros.

COLOMBINA. El señor Arlequín fiaba tanto en el amor que le tengo como en la amistad que le tenéis. No pongáis todo el mérito de vuestra parte, que es tan necia presunción perdonar la vida a los hombres como el corazón a las mujeres.

CRISPÍN. Ahora advierto que no sois tan peligrosa al que os ve como al que llega a escucharos.

COLOMBINA. Permitid; pero antes de la fiesta preparada para esta noche he de hablar con el señor Arlequín, y...

CRISPÍN. No es preciso. A eso vine, enviado de su parte y de parte de mi señor, que os besa las manos.

COLOMBINA. ¿Y quién es vuestro señor, si puede saberse?

CRISPÍN. El más noble caballero, el más poderoso...
Permitid que por ahora calle su nombre; pronto habéis

de conocerle. Mi señor desea saludar a doña Sirena y asistir a su fiesta esta noche.

COLOMBINA. ¡La fiesta! ¿No sabéis. . .?

CRISPÍN. Lo sé. Mi deber es averiguarlo todo. Sé
5 que hubo inconvenientes que pudieron estorbarla; pero no habrá ninguno, todo está prevenido.

COLOMBINA. ¿Cómo sabéis. . .?

CRISPÍN. Yo os aseguro que no faltará nada. Suntuoso agasajo, luminarias y fuegos de artificio, músicos y can-
10 tores. Será la más lucida fiesta del mundo. . .

COLOMBINA. ¿Sois algún encantador por ventura?

CRISPÍN. Ya me iréis conociendo.[1] Sólo os diré que por algo juntó hoy el destino a gente de tan buen enten-dimiento, incapaz de malograrlo con vanos escrúpulos.
15 Mi señor sabe que esta noche asistirá a la fiesta el señor Polichinela, con su hija única, la hermosa Silvia, el mejor partido de esta ciudad. Mi señor ha de enamorarla, mi señor ha de casarse con ella y mi señor sabrá pagar como corresponde los buenos oficios de doña Sirena y los vuestros
20 también si os prestáis a favorecerle.

COLOMBINA. No andáis con rodeos. Debiera ofenderme vuestro atrevimiento.

CRISPÍN. El tiempo apremia y no me dió lugar a ser comedido.
25 COLOMBINA. Si ha de juzgarse del amo por el criado. . .

CRISPÍN. No temáis. A mi amo le hallaréis el más cortés y atento caballero. Mi desvergüenza le permite a él mostrarse vergonzoso. Duras necesidades de la vida pueden obligar al más noble caballero a empleos de
30 rufián, como a la más noble dama a bajos oficios, y esta mezcla de ruindad y nobleza en un mismo sujeto desluce con el mundo. Habilidad es mostrar separado en dos

sujetos lo que suele andar junto en uno solo. Mi señor y
yo, con ser [1] uno mismo, somos cada uno una parte del
otro. ¡Si así fuera siempre! [2] Todos llevamos en nosotros
un gran señor de altivos pensamientos, capaz de todo lo
grande y de todo lo bello... Y a su lado, el servidor
humilde, el de las ruines obras, el que ha de emplearse en
las bajas acciones a que obliga la vida... Todo el arte
está en separarlos de tal modo, que cuando caemos en
alguna bajeza podamos decir siempre: no fué mía, no fuí
yo, fué mi criado. En la mayor miseria de nuestra vida
siempre hay algo en nosotros que quiere sentirse superior
a nosotros mismos. Nos despreciaríamos demasiado si no
creyésemos valer más que nuestra vida... Ya sabéis
quién es mi señor: el de los altivos pensamientos, el de
los bellos sueños. Ya sabéis quién soy yo: el de los ruines
empleos, el que siempre, muy bajo, rastrea y socava entre
toda mentira y toda indignidad y toda miseria. Sólo hay
algo en mí que me redime y me eleva a mis propios ojos.
Esta lealtad de mi servidumbre, esta lealtad que se
humilla y se arrastra para que otro pueda volar y pueda
ser siempre el señor de los altivos pensamientos, el de los
bellos sueños. (*Se oye música dentro.*)

COLOMBINA. ¿Qué música es ésa?

CRISPÍN. La que mi señor trae a la fiesta, con todos
sus pajes y todos sus criados y toda una corte de poetas
y cantores presididos por el señor Arlequín, y toda una
legión de soldados con el Capitán al frente escoltándole
con antorchas...

COLOMBINA. ¿Quién es vuestro señor, que tanto puede?
Corro a prevenir a mi señora...

CRISPÍN. No es preciso. Ella acude.

Escena III

DICHOS y Doña Sirena, que sale por el pabellón.

SIRENA. ¿Qué es esto? ¿Quién previno esa música?
¿Qué tropel de gente llega a nuestra puerta?

COLOMBINA. No preguntéis nada. Sabed que hoy
llegó a esta ciudad un gran señor, y es él quien os ofrece
5 la fiesta esta noche. Su criado os informará de todo.
Yo aun no sabré deciros si hablé con un gran loco o con
un gran bribón. De cualquier modo, os aseguro que él es
un hombre extraordinario. . .

SIRENA. ¿Luego no fué Arlequín. . .?

10 COLOMBINA. No preguntéis. . . Todo es como cosa de
magia. . .

CRISPÍN. Doña Sirena, mi señor os pide licencia para
besaros las manos. Tan alta señora y tan noble señor no
han de entender en intrigas impropias de su condición.
15 Por eso, antes que él llegue a saludaros yo he de decirlo
todo. Yo sé de vuestra historia mil notables sucesos
que, referidos,[1] me asegurarían toda vuestra confianza. . .
Pero fuera impertinencia puntualizarlos. Mi amo os
asegura aquí (Entregándola un papel) con su firma la
20 obligación que ha de cumpliros si de vuestra parte sabéis
cumplir lo que aquí os propone.

SIRENA. ¿Qué papel y qué obligación es ésta? . . .
(Leyendo el papel para sí.) ¡Cómo! ¿Cien mil escudos
de presente y otros tantos a la muerte del señor Poli-
25 chinela si llega a casarse con su hija? ¿Qué insolencia es
ésta? ¿A una dama? ¿Sabéis con quién habláis? ¿Sabéis
qué casa es ésta?

CRISPÍN. Doña Sirena. . ., ¡excusad la indignación!
No hay nadie presente que pueda importaros. Guardad

ese papel junto con otros. . ., y no se hable más del
asunto.   Mi señor no os propone nada indecoroso ni vos
consentiríais en ello. . . Cuanto aquí suceda será obra de
la casualidad y del amor.   Fuí yo, el criado, el único que
tramó estas cosas indignas.   Vos sois siempre la noble 5
dama, mi amo el noble señor, que al encontraros esta
noche en la fiesta, hablaréis de mil cosas galantes y deli-
cadas, mientras vuestros convidados pasean y conversan
a vuestro alrededor, con admiraciones a la hermosura de
las damas, al arte de sus galas, a la esplendidez del agasajo, 10
a la dulzura de la música y a la gracia de los bailarines. . .
¿Y quién se atreverá a decir que no es esto todo? ¿No es
así la vida, una fiesta en que la música sirve para disimular
palabras y las palabras para disimular pensamientos?
Que la música suene incesante, que la conversación se 15
anime con alegres risas, que la cena esté bien servida. . .,
es todo lo que importa a los convidados.   Y ved aquí a mi
señor que llega a saludaros con toda gentileza.

Escena IV

DICHOS, LEANDRO, ARLEQUÍN y el CAPITÁN, que
salen por la segunda derecha.

LEANDRO.   Doña Sirena, bésoos las manos.

SIRENA.   Caballero. . .   20

LEANDRO.   Mi criado os habrá dicho en mi nombre
cuanto yo pudiera deciros.

CRISPÍN.   Mi señor, como persona grave, es de pocas
palabras.   Su admiración es muda.

ARLEQUÍN.   Pero sabe admirar sabiamente.   25

CAPITÁN.   El verdadero mérito.

ARLEQUÍN.   El verdadero valor.

CAPITÁN. El arte incomparable de la poesía.

ARLEQUÍN. La noble ciencia militar.

CAPITÁN. En todo muestra su grandeza.

ARLEQUÍN. Es el más noble caballero del mundo.

5 CAPITÁN. Mi espada siempre estará a su servicio.

ARLEQUÍN. He de consagrar a su gloria mi mejor poema.

CRISPÍN. Basta, basta, que ofenderéis su natural modestia. Vedle cómo quisiera ocultarse y desaparecer.
10 Es una violeta.

SIRENA. No necesita hablar quien de este modo hace hablar a todos en su alabanza. (*Después de un saludo y reverencia se van todos por la primera derecha. A Colombina.*) ¿Qué piensas de todo esto, Colombina?

15 COLOMBINA. Que el caballero tiene muy gentil figura y el criado muy gentil desvergüenza.

SIRENA. Todo puede aprovecharse. O yo no sé nada del mundo ni de los hombres, o la fortuna se entró [1] hoy por mis puertas.

20 COLOMBINA. Pues segura es entonces la fortuna; porque del mundo sabéis algo, y de los hombres, ¡no se diga!

SIRENA. Risela y Laura, que son las primeras en llegar...

25 COLOMBINA. ¿Cuándo fueron ellas las últimas en llegar a una fiesta? Os dejo en su compañía, que yo no quiero perder de vista a nuestro caballero... (*Vase por la primera derecha.*)

Escena V

Doña Sirena, Laura y Risela, que salen
por la segunda derecha.

Sirena.   ¡Amigas! Ya comenzaba a dolerme de vuestra
ausencia.

Laura.   ¿Pues es tan tarde?

Sirena.   Siempre lo es para veros.

Risela.   Otras dos fiestas dejamos por no faltar a 5
vuestra casa.

Laura.   Por más que alguien nos dijo que no sería
esta noche por hallaros algo indispuesta.

Sirena.   Sólo por dejar mal a los maldicientes, aun
muriendo la hubiera tenido.   10

Risela.   Y nosotras nos hubiéramos muerto y no hubiéramos dejado de asistir a ella.

Laura.   ¿No sabéis la novedad?

Risela.   No se habla de otra cosa.

Laura.   Dicen que ha llegado un personaje misterioso. 15
Unos dicen que es embajador secreto de Venecia o de
Francia.

Risela.   Otros dicen que viene a buscar esposa para el
Gran Turco.

Laura.   Aseguran que es lindo como un Adonis.   20

Risela.   Si nos fuera posible conocerle... Debisteis
invitarle a vuestra fiesta.

Sirena.   No fué preciso, amigas, que él mismo envió
un embajador a pedir licencia para ser recibido. Y en mi
casa está y le veréis muy pronto.   25

Laura.   ¿Qué decís? Ved si anduvimos [1] acertadas en
dejarlo todo por asistir a vuestra casa.

Risela.   ¡Cuántas nos envidiarán esta noche!

LAURA. Todos rabian por conocerle.

SIRENA. Pues yo nada hice por lograrlo. Bastó que él supiera que yo tenía fiesta en mi casa.

RISELA. Siempre fué lo mismo con vos. No llega per-
5 sona importante a la ciudad que luego no os ofrezca sus respetos.

LAURA. Ya se me tarda en verle[1]... Llevadnos a su presencia por vuestra vida.

RISELA. Sí, sí, llevadnos.

10 SIRENA. Permitid, que llega el señor Polichinela con su familia... Pero id sin mí; no os será difícil hallarle.

RISELA. Sí, sí; vamos, Laura.

LAURA. Vamos, Risela. Antes de que aumente la confusión y no nos sea posible acercarnos. (*Vanse por la*
15 *primera derecha.*)

ESCENA VI

DOÑA SIRENA, POLICHINELA, la SEÑORA de POLICHINELA
y SILVIA, que salen por la segunda derecha.

SIRENA. ¡Oh, señor Polichinela! Ya temí que no vendríais.[2] Hasta ahora no comenzó para mí la fiesta.

POLICHINELA. No fué culpa mía la tardanza. Fué de mi mujer, que entre cuarenta vestidos no supo nunca
20 cuál ponerse.

SEÑORA DE POLICHINELA. Si por él fuera, me presentaría de cualquier modo... Ved cómo vengo de sofocada [3] por apresurarme.

SIRENA. Venís hermosa como nunca.

25 POLICHINELA. Pues aún no trae la mitad de sus joyas. No podría con tanto peso.

SIRENA. ¿Y quién mejor puede ufanarse con que [4] su

esposa ostente el fruto de una riqueza adquirida con vuestro trabajo?

SEÑORA DE POLICHINELA. Pero ¿no es hora ya de disfrutar de ella, como yo le digo, y de tener más nobles aspiraciones? Figuraos que ahora quiere casar a nuestra hija con un negociante.

SIRENA. ¡Oh, señor Polichinela! Vuestra hija merece mucho más que un negociante. No hay que pensar en eso. No debéis sacrificar su corazón por ningún interés. ¿Qué dices tú, Silvia?

POLICHINELA. Ella preferirá algún barbilindo, que, muy a pesar mío, es muy dada a novelas y poesía.

SILVIA. Yo haré siempre lo que mi padre ordene, si a mi madre no le contraría y a mí no me disgusta.

SIRENA. Eso es hablar con juicio.

SEÑORA DE POLICHINELA. Tu padre piensa que sólo el dinero vale y se estima en el mundo.

POLICHINELA. Yo pienso que sin dinero no hay cosa que valga ni se estime en el mundo; que es el precio de todo.

SIRENA. ¡No habléis así! ¿Y las virtudes, y el saber, y la nobleza?

POLICHINELA. Todo tiene su precio, ¿quién lo duda? Nadie mejor que yo lo sabe, que compré mucho de todo eso, y no muy caro.

SIRENA. ¡Oh, señor Polichinela! Es humorada vuestra. Bien sabéis que el dinero no es todo, y que si vuestra hija se enamorara de algún noble caballero, no sería bien contrariarla. Yo sé que tenéis un sensible corazón de padre.

POLICHINELA. Eso sí. Por mi hija sería yo capaz de todo.

SIRENA. ¿Hasta de arruinaros?

POLICHINELA. Eso no sería una prueba de cariño. Antes sería capaz de robar, de asesinar. . ., de todo.

SIRENA. Ya sé que siempre sabríais rehacer vuestra
5 fortuna. Pero la fiesta se anima. Ven conmigo, Silvia. Para danzar téngote destinado un caballero, que habéis [1] de ser la más lucida pareja. . . (*Se dirigen todos a la primera derecha. Al ir a salir el señor Polichinela, Crispín, que entra por la segunda derecha, le detiene.*)

ESCENA VII

CRISPÍN y POLICHINELA

10 CRISPÍN. ¡Señor Polichinela! Con licencia.

POLICHINELA. ¿Quién me llama? ¿Qué me queréis?

CRISPÍN. ¿No recordáis de mí? No es extraño. El tiempo todo lo borra, y cuando es algo enojoso lo borrado, no deja ni siquiera el borrón como recuerdo, sino que
15 se apresura a pintar sobre él con alegres colores, esos alegres colores con que ocultáis al mundo vuestras jorobas.[2] Señor Polichinela, cuando yo os conocí, apenas las cubrían unos descoloridos andrajos.

POLICHINELA. ¿Y quién eres tú y dónde pudiste
20 conocerme?

CRISPÍN. Yo era un mozuelo, tú eras ya todo un hombre. Pero ¿has olvidado ya tantas gloriosas hazañas por esos mares,[3] tantas victorias ganadas al turco, a que no poco contribuimos con nuestro heroico esfuerzo, unidos
25 los dos al mismo noble remo en la misma gloriosa nave?

POLICHINELA. ¡Imprudente! ¡Calla o. . .!

CRISPÍN. O harás conmigo como con tu primer amo en

Nápoles y con tu primera mujer en Bolonia, y con aquel
mercader judío en Venecia. . .

POLICHINELA.   ¡Calla! ¿Quién eres tú, que tanto sabes
y tanto hablas?

CRISPÍN.   Soy. . . lo que fuiste. Y quien llegará a ser
lo que eres. . ., como tú llegaste. No con tanta violencia
como tú, porque los tiempos son otros y ya sólo asesinan
los locos y los enamorados y cuatro pobretes que aun
asaltan a mano armada al transeunte por calles obscuras
o caminos solitarios. ¡Carne de horca, despreciable!

POLICHINELA.   ¿Y qué quieres de mí? Dinero, ¿no
es eso? Ya nos veremos más despacio. No es éste el
lugar. . .

CRISPÍN.   No tiembles por tu dinero. Sólo deseo ser
tu amigo, tu aliado, como en aquellos tiempos.

POLICHINELA.   ¿Qué puedo hacer por ti?

CRISPÍN.   No, ahora soy yo quien va a servirte, quien
quiere obligarte con una advertencia. . . (*Haciéndole que
mire* [1] *a la primera derecha.*) ¿Ves allí a tu hija cómo
danza con un joven caballero y cómo sonríe ruborosa al
oír sus galanterías? Ese caballero es mi amo.

POLICHINELA.   ¿Tu amo? Será entonces un aventurero.
un hombre de fortuna, un bandido como. . .

CRISPÍN.   ¿Como nosotros. . . vas a decir? No; es más
peligroso que nosotros, porque, como ves, su figura es
bella, y hay en su mirada un misterio de encanto y en su
voz una dulzura que llega al corazón y le conmueve como
si contara una historia triste. ¿No es esto bastante para
enamorar a cualquier mujer? No dirás que no te he
advertido. Corre y separa a tu hija de ese hombre, y no
la permitas que baile con él ni que vuelva a escucharle
en su vida.

POLICHINELA. ¿Y dices que es tu amo y así le sirves?

CRISPÍN. ¿Lo extrañas? ¿Te olvidas ya de cuando fuiste criado? Yo aun no pienso asesinarle.

POLICHINELA. Dices bien; un amo es siempre odioso. 5 Y en servirme a mí, ¿qué interés es el tuyo?

CRISPÍN. Llegar a buen puerto, como llegamos tantas veces remando juntos. Entonces tú me decías alguna vez: Tú que eres fuerte rema por mí... En esta galera de ahora eres tú más fuerte que yo; rema por mí, por el 10 fiel amigo de entonces, que la vida es muy pesada galera y yo llevo remado[1] mucho. (*Vase por la segunda derecha.*)

ESCENA VIII

EL SEÑOR POLICHINELA, DOÑA SIRENA, la SEÑORA de POLICHINELA, RISELA y LAURA, que salen por la primera derecha.

LAURA. Sólo doña Sirena sabe ofrecer fiestas semejantes.

15 RISELA. Y la de esta noche excedió a todas.

SIRENA. La presencia de tan singular caballero fué un nuevo atractivo.

POLICHINELA. ¿Y Silvia? ¿Dónde quedó Silvia? ¿Cómo dejaste a nuestra hija?

20 SIRENA. Callad, señor Polichinela, que vuestra hija se halla en excelente compañía, y en mi casa siempre estará segura.

RISELA. No hubo atenciones más que para ella.

LAURA. Para ella es todo el agrado.

25 RISELA. Y todos los suspiros.

POLICHINELA. ¿De quién? ¿De ese caballero misterioso? Pues no me contenta. Y ahora mismo...

SIRENA. ¡Pero señor Polichinela...!

POLICHINELA. ¡Dejadme, dejadme! Yo sé lo que me hago.[1] (*Vase por la primera derecha.*)

SIRENA. ¿Qué le ocurre? ¿Qué destemplanza es ésta?

SEÑORA DE POLICHINELA. ¿Veis qué hombre? ¡Capaz será de una grosería con el caballero! ¡Que ha de casar a su hija con algún mercader u hombre de baja estofa! ¡Que ha de hacerla desgraciada para toda la vida!

SIRENA. ¡Eso no!..., que sois su madre, y algo ha de valer vuestra autoridad...

SEÑORA DE POLICHINELA. ¡Ved! Sin duda dijo alguna impertinencia, y el caballero ya deja la mano de Silvia, y se retira cabizbajo.

LAURA. Y el señor Polichinela parece reprender a vuestra hija...

SIRENA. ¡Vamos, vamos! Que no puede consentirse tanta tiranía.

RISELA. Ahora vemos, señora Polichinela, que con todas vuestras riquezas no sois menos desgraciada.

SEÑORA DE POLICHINELA. No lo sabéis, que algunas veces llegó hasta golpearme.

LAURA. ¿Qué decís? ¿Y fuisteis mujer para consentirlo?

SEÑORA DE POLICHINELA. Luego cree componerlo con traerme algún regalo.

SIRENA. ¡Menos mal! Que hay maridos que no lo componen con nada. (*Vanse todas por la primera derecha.*)

Escena IX

LEANDRO y CRISPÍN, que salen por la segunda derecha.

CRISPÍN.   ¿Qué tristeza, qué abatimiento es ése?
¡Con mayor alegría pensé hallarte!

LEANDRO.   Hasta ahora no me ví perdido; hasta
ahora no me importó menos perderme.[1] Huyamos,
5 Crispín; huyamos de esta ciudad antes de que nadie
pueda descubrirnos y vengan a saber lo que somos.

CRISPÍN.   Si huyéramos, es cuando todos lo sabrían y
cuando muchos corrieran hasta detenernos y hacernos
volver a nuestro pesar, que no parece bien ausentarnos
10 con tanta descortesía, sin despedirnos de gente tan
atenta.

LEANDRO.   No te burles, Crispín, que estoy desesperado.

CRISPÍN.   ¡Así eres! Cuando nuestras esperanzas llevan
mejor camino.

15 LEANDRO.   ¿Qué puedo esperar? Quisiste que fingiera
un amor, y mal sabré fingirlo.

CRISPÍN.   ¿Por qué?

LEANDRO.   Porque amo, amo con toda verdad y con
toda mi alma.

20 CRISPÍN.   ¿A Silvia? ¿Y de eso te lamentas?

LEANDRO.   ¡Nunca pensé que pudiera amarse de este
modo! ¡Nunca pensé que yo pudiera amar! En mi vida
errante por todos los caminos, no fuí siquiera el que
siempre pasa, sino el que siempre huye, enemiga la tierra,
25 enemigos los hombres, enemiga la luz del sol. La fruta del
camino, hurtada, no ofrecida, dejó acaso en mis labios
algún sabor de amores, y alguna vez, después de muchos
días azarosos, en el descanso de una noche, la serenidad
del cielo me hizo soñar con algo que fuera [2] en mi vida

como aquel cielo de la noche que traía a mi alma el reposo
de su serenidad. Y así esta noche en el encanto de la
fiesta... me pareció que era un descanso en mi vida...
y soñaba... ¡He soñado! Pero mañana será otra vez la
huida azarosa, será la Justicia que nos persigue... y no 5
quiero que me halle aquí, donde está ella, donde ella
pueda avergonzarse de haberme visto.

CRISPÍN. Yo creí ver que eras acogido con agrado...
Y no fuí yo solo en advertirlo. Doña Sirena y nuestros
buenos amigos el Capitán y el Poeta le hicieron de ti los 10
mayores elogios. A su excelente madre, la señora Polichinela, que sólo sueña emparentar con un noble, le
pareciste el yerno de sus ilusiones. En cuanto al señor
Polichinela...

LEANDRO. Sospecha de nosotros..., nos conoce... 15

CRISPÍN. Sí; al señor Polichinela no es fácil engañarle
como a un hombre vulgar. A un zorro viejo como él hay
que engañarle con lealtad. Por eso me pareció el mejor
medio prevenirle de todo.

LEANDRO. ¿Cómo? 20

CRISPÍN. Sí; él me conoce de antiguo... Al decirle
que tú eres mi amo supuso, con razón, que el amo sería
digno del criado. Y yo, por corresponder a su confianza,
le advertí que de ningún modo consintiera que hablaras
con su hija. 25

LEANDRO. ¿Eso hiciste? ¿Y qué puedo esperar?

CRISPÍN. ¡Necio eres! Que el señor Polichinela ponga
todo su empeño en que no vuelvas a ver a su hija.

LEANDRO. ¡No lo entiendo!

CRISPÍN. Y que de este modo sea nuestro mejor aliado, 30
porque bastará que él se oponga, para que su mujer le
lleve la contraria y su hija se enamore de ti más loca-

mente. Tú no sabes lo que es una joven, hija de un padre
rico, criada en el mayor regalo, cuando ve por primera vez
en su vida que algo se opone a su voluntad. Estoy seguro
de que esta misma noche, antes de terminar la fiesta,
5 consigue burlar la vigilancia de su padre para hablar
todavía contigo.

LEANDRO. ¿Pero no ves que nada me importa del
señor Polichinela ni del mundo entero? Que es a ella,
sólo a ella, a quien yo no quiero parecer indigno y des-
10 preciable..., a quien yo no quiero mentir.

CRISPÍN. ¡Bah! ¡Deja locuras! No es posible retroceder. Piensa en la suerte que nos espera si vacilamos
en seguir adelante. ¿Que te has enamorado? Ese amor
verdadero nos servirá mejor que si fuera fingido. Tal vez
15 de otro modo hubieras querido ir demasiado de prisa;
y si la osadía y la insolencia convienen para todo, sólo en
amor sienta bien a los hombres algo de timidez. La timidez
del hombre hace ser más atrevidas a las mujeres. Y si lo
dudas, aquí tienes a la inocente Silvia, que llega con el
20 mayor sigilo y sólo espera para acercarse a ti que [1] yo
me retire o me esconda.

LEANDRO. ¿Silvia dices?

CRISPÍN. ¡Chito! ¡Que pudiera espantarse! Y cuando
esté a tu lado, mucha discreción..., pocas palabras,
25 pocas... Adora, contempla, admira, y deja que hable
por ti el encanto de esta noche azul, propicia a los amores,
y esa música que apaga sus sones entre la arboleda y
llega como triste de la alegría de la fiesta.

LEANDRO. No te burles, Crispín; no te burles de este
30 amor que será mi muerte.

CRISPÍN. ¿Por qué he de burlarme? Yo sé bien que no
conviene siempre rastrear. Alguna vez hay que volar

por el cielo para mejor dominar la tierra. Vuela tú ahora; yo sigo[1] arrastrándome. ¡El mundo será nuestro! (*Vase por la segunda izquierda.*)

Escena Última

LEANDRO y SILVIA, que sale por la primera derecha. Al final, CRISPÍN

LEANDRO. ¡Silvia!

SILVIA. ¿Sois vos? Perdonad; no creí hallaros aquí.   5

LEANDRO. Huí de la fiesta. Su alegría me entristece.

SILVIA. ¿También a vos?

LEANDRO. ¿También decís? ¡También os entristece la alegría!...

SILVIA. Mi padre se ha enojado conmigo. ¡Nunca me   10 habló de ese modo! Y con vos también estuvo desatento. ¿Le perdonáis?

LEANDRO. Sí; lo perdono todo. Pero no le enojéis por mi causa. Volved a la fiesta, que han de buscaros; y si os hallaran aquí a mi lado...   15

SILVIA. Tenéis razón. Pero volved vos también. ¿Por qué habéis de estar triste?

LEANDRO. No; yo saldré sin que nadie lo advierta... Debo ir muy lejos.

SILVIA. ¿Qué decís? ¿No os trajeron asuntos de im-   20 portancia a esta ciudad? ¿No debíais permanecer aquí mucho tiempo?

LEANDRO. ¡No, no! ¡Ni un día más! ¡Ni un día más!

SILVIA. Entonces... ¿Me habéis mentido?   25

LEANDRO. ¡Mentir! No... No digáis que he mentido... No; ésta es la única verdad de mi vida... ¡Este sueño que no debe tener despertar! (*Se oye a lo lejos la música de una canción hasta que cae el telón.*)

SILVIA.   Es Arlequín que canta... ¿Qué os sucede? ¿Lloráis? ¿Es la música la que os hace llorar? ¿Por qué
5 no decirme [1] vuestra tristeza?

LEANDRO.   ¿Mi tristeza? Ya la dice esa canción. Escuchadla.

SILVIA.   Desde aquí sólo la música se percibe; las palabras se pierden. ¿No la sabéis? Es una canción al
10 silencio de la noche, y se llama *El reino de las almas.* ¿No la sabéis?

LEANDRO.   Decidla.

SILVIA.

La noche amorosa, sobre los amantes
tiende de su cielo el dosel nupcial.
15 La noche ha prendido sus claros diamantes
en el terciopelo de un cielo estival.
El jardín en sombra no tiene colores,
y es en el misterio de su obscuridad
susurro el follaje, aroma las flores
20 y amor... un deseo dulce de llorar.
La voz que suspira, y la voz que canta
y la voz que dice palabras de amor,
impiedad parecen en la noche santa
como una blasfemia entre una oración.
25 ¡Alma del silencio, que yo reverencio,
tiene tu silencio la inefable voz
de los que murieron amando en silencio;
de los que callaron muriendo de amor;
de los que en la vida por amarnos mucho
30 tal vez no supieron su amor expresar!
¿No es la voz acaso que en la noche escucho

y cuando amor dice, dice eternidad?
¡Madre de mi alma! ¿No es luz de tus ojos
    la luz de esa estrella
que como una lágrima de amor infinito
    en la noche tiembla?   5
¡Dile a la que hoy amo que yo no amé nunca
    más que a ti en la tierra,
y desde que has muerto sólo me ha besado
    la luz de esa estrella!

LEANDRO.

    ¡Madre de mi alma! Yo no he amado nunca 10
        más que a ti en la tierra,
    y desde que has muerto sólo me ha besado
        la luz de esa estrella.

(Quedan en silencio, abrazados y mirándose.)

  CRISPÍN.   *(Que aparece por la segunda izquierda. Aparte.)* 15
      ¡Noche, poesía, locuras de amante!...
      ¡Todo ha de servirnos en esta ocasión!
      ¡El triunfo es seguro! ¡Valor y adelante!
      ¿Quién podrá vencernos si es nuestro el amor?

(Silvia y Leandro, abrazados, se dirigen muy despacio a la 20
primera derecha. Crispín los sigue sin ser visto por ellos.
El telón va bajando muy despacio.)

ACTO SEGUNDO

CUADRO TERCERO

Sala en casa de Leandro

ESCENA PRIMERA

CRISPÍN, el CAPITÁN, ARLEQUÍN.   Salen por la
segunda derecha, o sea el pasillo.

CRISPÍN.   Entrad, caballeros, y sentaos con toda comodidad.   Diré que os sirvan algo. . . ¡Hola! ¡Eh! ¡Hola!

CAPITÁN.   De ningún modo.   No aceptamos nada.

ARLEQUÍN.   Sólo venimos a ofrecernos a tu señor,
5 después de lo que hemos sabido.

CAPITÁN.   ¡Increíble traición, que no quedará sin
castigar! ¡Yo te aseguro que si el señor Polichinela se
pone al alcance de mi mano. . .!

ARLEQUÍN.   ¡Ventaja de los poetas! Yo siempre le
10 tendré al alcance de mis versos. . . ¡Oh! La tremenda
sátira que pienso dedicarle. . . ¡Viejo dañino, viejo malvado!

CAPITÁN.   ¿Y dices que tu amo no fué siquiera herido?

CRISPÍN.   Pero pudo ser muerto. ¡Figuraos! ¡Una docena de espadachines asaltándole de improviso! Gracias
15 a su valor, a su destreza, a mis voces. . .

ARLEQUÍN.   ¿Y ello sucedió anoche, cuando tu señor
hablaba con Silvia por la tapia de su jardín?

CRISPÍN.   Ya mi señor había tenido aviso. . .; pero ya
le conocéis: no es hombre para intimidarse por nada.

20 CAPITÁN.   Pero debió advertirnos. . .

ARLEQUÍN.   Debió advertir al señor Capitán. Él le hubiera acompañado gustoso.

CRISPÍN.   Ya conocéis a mi señor. Él solo se basta.

CAPITÁN.   ¿Y dices que por fin conseguiste atrapar por el cuello a uno de los malandrines, que confesó que todo estaba preparado por el señor Polichinela para deshacerse de tu amo?...

CRISPÍN.   ¿Y quién sino él podía tener interés en ello? Su hija ama a mi señor; él trata de casarla a su gusto; mi señor estorba sus planes, y el señor Polichinela supo toda su vida cómo suprimir estorbos. ¿No enviudó dos veces en poco tiempo? ¿No heredó en menos a todos sus parientes, viejos y jóvenes? Todos lo saben, nadie dirá que le calumnio... ¡Ah! La riqueza del señor Polichinela es un insulto a la humanidad y a la justicia. Sólo entre gente sin honor puede triunfar impune un hombre como el señor Polichinela.

ARLEQUÍN.   Dices bien. Y yo en mi sátira he de decir todo eso... Claro que sin nombrarle, porque la poesía no debe permitirse tanta licencia.

CRISPÍN.   ¡Bastante le importará a él de vuestra sátira!

CAPITÁN.   Dejadme, dejadme a mí, que como[1] él se ponga al alcance de mi mano... Pero bien sé que él no vendrá a buscarme.

CRISPÍN.   Ni mi señor consentiría que se ofendiera al señor Polichinela. A pesar de todo, es el padre de Silvia. Lo que importa es que todos sepan en la ciudad cómo mi amo estuvo a punto de ser asesinado; cómo no puede consentirse que ese viejo zorro contraríe la voluntad y el corazón de su hija.

ARLEQUÍN.   No puede consentirse; el amor está sobre todo.

CRISPÍN. Y si mi amo fuera algún ruin sujeto. . .
Pero, decidme: ¿no es el señor Polichinela el que debía
enorgullecerse de que mi señor se haya dignado enamorarse
de su hija y aceptarle por suegro? ¡Mi señor, que a tantas
5 doncellas de linaje excelso ha despreciado, y por quien
más de cuatro princesas hicieron cuatro mil locuras!. . .
Pero ¿quién llega? (*Mirando hacia la segunda derecha.*)
¡Ah, Colombina! ¡Adelante, graciosa Colombina, no
hayas[1] temor! (*Sale Colombina.*) Todos somos amigos,
10 y nuestra mutua amistad te defiende de nuestra unánime
admiración.

ESCENA II

DICHOS y COLOMBINA, que sale por la segunda
derecha, o sea el pasillo.

COLOMBINA. Doña Sirena me envía a saber de tu señor. Apenas rayaba el día, vino Silvia a nuestra casa, y
refirió a mi señora todo lo sucedido. Dice que no volve-
15 rá a casa de su padre, ni saldrá de casa de mi señora más
que para ser la esposa del señor Leandro.

CRISPÍN. ¿Eso dice? ¡Oh, noble joven! ¡Oh, corazón
amante!

ARLEQUÍN. ¡Qué epitalamio pienso componer a sus
20 bodas!

COLOMBINA. Silvia cree que Leandro está malherido. . .
Desde su balcón oyó ruido de espadas, tus voces en
demanda de auxilio. Después cayó sin sentido, y así la
hallaron al amanecer. Decidme lo que sea[2] del señor
25 Leandro, pues muere de angustia hasta saberlo, y mi
señora también quedó en cuidado.

CRISPÍN. Dile que mi señor pudo salvarse, porque

amor le guardaba; dile que sólo de amor muere con
incurable herida... Dile... (*Viendo venir a Leandro.*)
¡Ah! Pero aquí llega él mismo, que te dirá cuanto yo
pudiera decirte.

ESCENA III

DICHOS y LEANDRO, que sale por la primera derecha.

CAPITÁN.   (*Abrazándole.*) ¡Amigo mío!

ARLEQUÍN.   (*Abrazándole.*) ¡Amigo y señor!

COLOMBINA.   ¡Ah, señor Leandro! ¡Que estáis salvo!
¡Qué alegría!

LEANDRO.   ¿Cómo supisteis?

COLOMBINA.   En toda la ciudad no se habla de otra
cosa; por las calles se reúne la gente en corrillos, y todos
murmuran y claman contra el señor Polichinela.

LEANDRO.   ¿Qué decís?

CAPITÁN.   ¡Y si algo volviera a intentar contra vos...!

ARLEQUÍN.   ¿Y si aún quisiera oponerse a vuestros
amores?

COLOMBINA.   Todo sería inútil.   Silvia está en casa de
mi señora, y sólo saldrá de allí para ser vuestra esposa...

LEANDRO.   ¿Silvia en vuestra casa? Y su padre...

COLOMBINA.   El señor Polichinela hará muy bien en
ocultarse.

CAPITÁN.   ¡Creyó que a tanto podría atreverse con su
riqueza insolente!

ARLEQUÍN.   Pudo atreverse a todo, pero no al amor...

COLOMBINA.   ¡Pretender asesinaros tan villanamente!

CRISPÍN.   ¡Doce espadachines, doce..., yo los conté!

LEANDRO.   Yo sólo pude distinguir a tres o cuatro.

CRISPÍN.   Mi señor concluirá por deciros que no fué
tanto el riesgo, por no hacer mérito de su serenidad y

de su valor. . . ¡Pero yo lo ví! Doce eran, doce, armados hasta los dientes, decididos a todo. ¡Imposible me parece que escapara con vida!

COLOMBINA.   Corro a tranquilizar a Silvia y a mi
5 señora.

CRISPÍN.   Escucha, Colombina. A Silvia, ¿no fuera mejor no tranquilizarla? . . .

COLOMBINA.   Déjalo a cargo de mi señora.   Silvia cree a estas horas que tu señor está moribundo, y aunque
10 doña Sirena finge contenerla. . ., no tardará en venir aquí sin reparar en nada.

CRISPÍN.   Mucho fuera que tu señora no hubiera pensado en todo.

CAPITÁN.   Vamos también, pues ya en nada podemos
15 aquí serviros.   Lo que ahora conviene es sostener la indignación de las gentes contra el señor Polichinela.

ARLEQUÍN.   Apedrearemos su casa. . . Levantaremos a toda la ciudad en contra suya. . . Sepa que si hasta hoy nadie se atrevió contra él, hoy todos juntos nos atreve-
20 mos; sepa que hay un espíritu y una conciencia en la multitud.

COLOMBINA.   Él mismo tendrá que venir a rogaros que toméis a su hija por esposa.

CRISPÍN.   Sí, sí; corred, amigos.   Ved que la vida de
25 mi señor no está segura. . . El que una vez quiso asesinarle, no se detendrá por nada.

CAPITÁN.   No temas. . . ¡Amigo mío!

ARLEQUÍN.   ¡Amigo y señor!

COLOMBINA.   ¡Señor Leandro!

30 LEANDRO.   Gracias a todos, amigos míos, amigos leales. (*Se van todos, menos Leandro y Crispín, por la segunda derecha.*)

ESCENA IV

LEANDRO y CRISPÍN

LEANDRO. ¿Qué es esto, Crispín? ¿Qué pretendes? ¿Hasta dónde has de llevarme con tus enredos? ¿Piensas que lo creí? Tú pagaste a los espadachines; todo fué invención tuya. ¡Mal hubiera podido valerme contra todos si ellos no vinieran de burla! 5

CRISPÍN. ¿Y serás capaz de reñirme, cuando así anticipo el logro de tus esperanzas?

LEANDRO. No, Crispín, no. ¡Bien sabes que no! Amo a Silvia y no lograré su amor con engaños, suceda lo que suceda. 10

CRISPÍN. Bien sabes lo que ha de sucederte... ¡Si amar es resignarse a perder lo que se ama por sutilezas de conciencia... que Silvia misma no ha de agradecerte!...

LEANDRO. ¿Qué dices? ¡Si ella supiera quién soy!

CRISPÍN. Y cuando lo sepa, ya no serás el que fuiste: 15 serás su esposo, su enamorado esposo, todo lo enamorado y lo fiel y lo noble que tú quieras y ella pueda desear [1]... Una vez dueño de su amor... y de su dote, ¿no serás el más perfecto caballero? Tú no eres como el señor Polichinela, que con todo su dinero que tantos lujos le per- 20 mite, aun no se ha permitido el lujo de ser honrado... En él es naturaleza la truhanería; pero en ti, en ti fué sólo necesidad... Y aun si no me hubieras tenido a tu lado, ya te hubieras dejado morir de hambre de puro escrupuloso. ¡Ah! ¿Crees que si yo hubiera hallado en ti 25 otro hombre me hubiera contentado con dedicarte a enamorar?... No; te hubiera dedicado a la política, y, no el dinero del señor Polichinela, el mundo hubiera sido nuestro... Pero no eres ambicioso, te contentas con ser feliz...

LEANDRO. ¿Pero no viste que mal podía serlo? Si hubiera mentido para ser amado y ser rico de este modo, hubiera sido porque yo no amaba, y mal podía ser feliz. Y si amo, ¿cómo puedo mentir?

CRISPÍN. Pues no mientas. Ama, ama con todo tu corazón, inmensamente. Pero defiende tu amor sobre todo. En amor no es mentir callar lo que puede hacernos perder la estimación del ser amado.

LEANDRO. Ésas sí que son sutilezas, Crispín.

CRISPÍN. Que tú debiste hallar antes si tu amor fuera como dices. Amor es todo sutilezas y la mayor de todas no es engañar a los demás, sino engañarse a sí mismo.

LEANDRO. Yo no puedo engañarme, Crispín. No soy de esos hombres que cuando venden su conciencia se creen en el caso de vender también su entendimiento.

CRISPÍN. Por eso dije que no servías para la política. Y bien dices. Que el entendimiento es la conciencia de la verdad, y el que llega a perderla entre las mentiras de su vida, es como si se perdiera a sí propio, porque ya nunca volverá a encontrarse ni a conocerse, y él mismo vendrá a ser otra mentira.

LEANDRO. ¿Dónde aprendiste tanto, Crispín?

CRISPÍN. Medité algún tiempo en galeras, donde esta conciencia de mi entendimiento me acusó más de torpe [1] que de pícaro. Con más picardía y menos torpeza, en vez de remar en ellas pude haber llegado a mandarlas. Por eso juré no volver en mi vida. Piensa de qué no seré capaz ahora que por tu causa me veo a punto de quebrantar mi juramento.

LEANDRO. ¿Qué dices?

CRISPÍN. Que nuestra situación es ya insostenible, que hemos apurado nuestro crédito, y las gentes ya empiezan a pedir algo efectivo. El Hostelero, que nos albergó con toda esplendidez por muchos días, esperando que recibieras tus libranzas. El señor Pantalón, que fiado en el crédito del Hostelero, nos proporcionó cuanto fué preciso para instalarnos con suntuosidad en esta casa... Mercaderes de todo género, que no dudaron en proveernos de todo, deslumbrados por tanta grandeza. Doña Sirena misma, que tan buenos oficios nos ha prestado en tus amores... Todos han esperado lo razonable, y sería injusto pretender más de ellos, ni quejarse de tan amable gente... ¡Con letras de oro quedará grabado en mi corazón el nombre de esta insigne ciudad, que desde ahora declaro por mi madre adoptiva! A más de esto..., ¿olvidas que de otras partes habrán salido y andarán en busca nuestra? ¿Piensas que las hazañas de Mantua y de Florencia son para olvidarlas? [1] ¿Recuerdas el famoso proceso de Bolonia? [2]... ¡Tres mil doscientos folios sumaba cuando nos ausentamos alarmados de verle crecer tan sin tino! ¿Qué no habrá aumentado bajo la pluma de aquel gran doctor jurista que la había tomado por su cuenta? ¡Qué de considerandos y de resultandos [3] de que no resultará cosa buena! ¿Y aun dudas? ¿Y aun me reprendes porque dí la batalla que puede decidir en un día de nuestra suerte?

LEANDRO. ¡Huyamos!

CRISPÍN. ¡No! ¡Basta de huir a la desesperada! Hoy ha de fijarse nuestra fortuna... Te dí el amor, dame tú la vida.

LEANDRO. ¿Pero cómo salvarnos? ¿Qué puedo yo hacer? Dime.

CRISPÍN. Nada ya. Basta con aceptar lo que los demás han de ofrecernos... Piensa que hemos creado muchos intereses y es interés de todos el salvarnos.

ESCENA V

DICHOS y DOÑA SIRENA, que sale por la segunda derecha, o sea el pasillo.

SIRENA. ¿Dais licencia, señor Leandro?

5   LEANDRO. ¡Doña Sirena! ¿Vos en mi casa?

SIRENA. Ya veis a lo que me expongo. A tantas lenguas maldicientes. ¡Yo en casa de un caballero, joven, apuesto!...

CRISPÍN. Mi señor sabría hacer callar a los maldi-
10 cientes si alguno se atreviera a poner sospecha en vuestra fama.

SIRENA. ¿Tu señor? No me fío. ¡Los hombres son tan jactanciosos! Pero en nada reparo por serviros. ¿Qué me decís, señor, que anoche quisieron daros muerte? No se
15 habla de otra cosa... ¡Y Silvia! ¡Pobre niña! ¡Cuánto os ama! ¡Quisiera saber qué hicisteis para enamorarla de ese modo!

CRISPÍN. Mi señor sabe que todo lo debe a vuestra amistad.

20 SIRENA. No diré yo que no me deba mucho..., que siempre hablé de él como yo no debía, sin conocerle lo bastante... A mucho me atreví por amor vuestro. Si ahora faltarais a vuestras promesas...

CRISPÍN. ¿Dudáis de mi señor? ¿No tenéis cédula
25 firmada de su mano?...

SIRENA. ¡Buena mano y buen nombre! ¿Pensáis que todos no nos conocemos? Yo sé confiar y sé que el señor

Leandro cumplirá como debe. Pero si vierais que hoy es un día aciago para mí, y por lograr hoy una mitad de lo que se me ha ofrecido perdería gustosa la otra mitad...

CRISPÍN. ¿Hoy decís? 5

SIRENA. ¡Día de tribulaciones! Para que nada falte, veinte años hace hoy también que perdí a mi segundo marido, que fué el primero, el único amor de mi vida.

CRISPÍN. Dicho sea en elogio del primero.

SIRENA. El primero me fué impuesto por mi padre. 10 Yo no le amaba, y a pesar de ello supe serle fiel.

CRISPÍN. ¿Qué no sabréis vos, doña Sirena?

SIRENA. Pero dejemos los recuerdos, que todo lo entristecen. Hablemos de esperanzas. ¿Sabeis que Silvia quiso venir conmigo? 15

LEANDRO. ¿Aquí, a esta casa?

SIRENA. ¿Qué os parece? ¿Qué diría el señor Polichinela? ¡Con toda la ciudad soliviantada contra él, fuerza le sería casaros!

LEANDRO. No, no; impedidla que venga. 20

CRISPÍN. ¡Chits! Comprenderéis que mi señor no dice lo que siente.

SIRENA. Lo comprendo... ¿Qué no daría él por ver a Silvia a su lado, para no separarse nunca de ella?

CRISPÍN. ¿Qué daría? ¡No lo sabéis! 25

SIRENA. Por eso lo pregunto.

CRISPÍN. ¡Ah, doña Sirena!... Si mi señor es hoy esposo de Silvia, hoy mismo cumplirá lo que os prometió.

SIRENA. ¿Y si no lo fuera?

CRISPÍN. Entonces... lo habréis perdido todo. Ved lo 30 que os conviene.

LEANDRO. ¡Calla, Crispín! ¡Basta! No puedo consentir

que mi amor se trate como mercancía. Salid, doña Sirena, decid a Silvia que vuelva a casa de su padre, que no venga aquí en modo alguno, que me olvide para siempre, que yo he de huir donde no vuelva a saber de mi nombre...
5 ¡Mi nombre! ¿Tengo yo nombre acaso?

CRISPÍN. ¿No callarás?

SIRENA. ¿Qué le dió? ¡Qué locura es ésta! ¡Volved en vos! ¡Renunciar de ese modo a tan gran ventura!... Y no se trata sólo de vos. Pensad que hay quien todo lo fió
10 en vuestra suerte, y no puede burlarse así de una dama de calidad que a tanto se expuso por serviros. Vos no haréis tal locura; vos os casaréis con Silvia, o habrá quien sepa pediros cuenta de vuestros engaños, que no estoy tan sola en el mundo como pudiste creer, señor Leandro.

15 CRISPÍN. Doña Sirena dice muy bien. Pero creed que mi señor sólo habla así ofendido por vuestra desconfianza.

SIRENA. No es desconfianza en él... Es, todo he de decirlo..., es que el señor Polichinela no es hombre para dejarse burlar..., y ante el clamor que habéis
20 levantado contra él con vuestra estratagema de anoche...

CRISPÍN. ¿Estratagema decís?

SIRENA. ¡Bah! Todos nos conocemos. Sabed que uno de los espadachines es pariente mío, y los otros me son también muy allegados... Pues bien: el señor Polichinela
25 no se ha descuidado, y ya se murmura por la ciudad que ha dado aviso a la Justicia de quién sois y cómo puede perderos; dícese también que hoy llegó de Bolonia un proceso...

CRISPÍN. ¡Y un endiablado doctor con él! Tres mil
30 novecientos folios...

SIRENA. Todo esto se dice, se asegura. Ved si importa no perder tiempo.

beber con estos caballeros, y lo tendrá a gloria... ¿Qué hacéis ahí? ¡Pronto!

HOSTELERO.   ¡Voy, voy! ¡No he librado de mala! [1] (*Se va con los Mozos a la hostería.*)

ARLEQUÍN.   ¡Ah, señor! ¿Cómo agradeceros [2]...?

CAPITÁN.   ¿Cómo pagaros...?

CRISPÍN.   ¡Nadie hable aquí de pagar, que es palabra que ofende! Sentaos, sentaos, que para mi señor, que a tantos príncipes y grandes ha sentado a su mesa, será éste el mayor orgullo.

LEANDRO.   Cierto.

CRISPÍN.   Mi señor no es de muchas palabras; pero, como veis, esas pocas son otras tantas sentencias llenas de sabiduría.

ARLEQUÍN.   En todo muestra su grandeza.

CAPITÁN.   No sabéis cómo conforta nuestro abatido espíritu hallar un gran señor como vos, que así nos considera.

CRISPÍN.   Esto no es nada, que yo sé que mi señor no se contenta con tan poco y será capaz de llevaros consigo y colocaros en tan alto estado...

LEANDRO.   (*Aparte a Crispín.*) No te alargues en palabras, Crispín...

CRISPÍN.   Mi señor no gusta de palabras, pero ya le conoceréis por las obras.

HOSTELERO.   (*Saliendo con los Mozos, que traen las viandas y ponen la mesa.*) Aquí está el vino... y la comida.

CRISPÍN.   ¡Beban, beban y coman y no se priven de nada, que mi señor corre con todo, y si algo os falta, no dudéis en decirlo, que mi señor pondrá orden en ello, que el hostelero es dado a descuidarse!

HOSTELERO.   No por cierto; pero comprenderéis...

CRISPÍN.   No digáis palabra, que diréis una impertinencia.

CAPITÁN.   ¡A vuestra salud!

LEANDRO.   ¡A la vuestra, señores! ¡Por el más grande
5 poeta y el mejor soldado!

ARLEQUÍN.   ¡Por el más noble señor!

CAPITÁN.   ¡Por el más generoso!

CRISPÍN.   Y yo también he de beber, aunque sea
atrevimiento. Por este día grande entre todos que juntó
10 al más alto poeta, al más valiente capitán, al más noble
señor y al más leal criado... Y permitid que mi señor
se despida, que los negocios que le traen a esta ciudad no
admiten demora.

LEANDRO.   Cierto.

15 CRISPÍN.   ¿No faltaréis a presentarle vuestros respetos
cada día?

ARLEQUÍN.   Y a cada hora; y he de juntar a todos los
músicos y poetas de mi amistad para festejarle con música
y canciones.

20 CAPITÁN.   Y yo he de traer a toda mi compañía con
antorchas y luminarias.

LEANDRO.   Ofenderéis mi modestia...

CRISPÍN.   Y ahora, comed, bebed... ¡Pronto! Servid
a estos señores... (*Aparte al Capitán.*) Entre nosotros...,
25 ¿estaréis sin blanca?

CAPITÁN.   ¿Qué hemos de deciros?

CRISPÍN.   ¡No digáis más! (*Al Hostelero.*) ¡Eh! ¡Aquí!
Entregaréis a estos caballeros cuarenta o cincuenta
escudos por encargo de mi señor y de parte suya...
30 ¡No dejéis de cumplir sus órdenes!

HOSTELERO.   ¡Descuidad! ¿Cuarenta o cincuenta,
decís?

CRISPÍN.   Poned sesenta. . . ¡Caballeros, salud!

CAPITÁN.   ¡Viva el más grande caballero!

ARLEQUÍN.   ¡Viva!

CRISPÍN.   ¡Decid ¡viva! también vosotros, gente incivil!   5

HOSTELERO Y MOZOS.   ¡Viva!

CRISPÍN.   ¡Viva el más alto poeta y el mayor soldado!

TODOS.   ¡Viva!

LEANDRO.   (*Aparte a Crispín.*) ¿Qué locuras son éstas,
Crispín, y cómo saldremos de ellas?   10

CRISPÍN.   Como entramos. Ya lo ves; la poesía y las
armas son nuestras. . . ¡Adelante! ¡Sigamos la conquista
del mundo! (*Todos se hacen saludos y reverencias, y Leandro
y Crispín se van por la segunda izquierda. El Capitán y
Arlequín se disponen a comer los asados que les han pre-*   15
parado el Hostelero y los Mozos que los sirven.)

Mutación

CUADRO SEGUNDO

Jardín con fachada de un pabellón, con puerta practicable en primer
término izquierda.   Es de noche.

ESCENA PRIMERA

DOÑA SIRENA y COLOMBINA saliendo del pabellón.

SIRENA.   ¿No hay para [1] perder el juicio, Colombina?
¡Que una dama se vea [2] en trance tan afrentoso por
gente baja y descomedida! ¿Cómo te atreviste a volver
a mi presencia con tales razones?   20

COLOMBINA.   ¿Y no habíais de saberlo?

SIRENA.   ¡Morir me estaría mejor! ¿Y todos te dijeron
lo mismo?

COLOMBINA. Uno por uno y como lo oísteis... El sastre, que no os enviará el vestido mientras no le paguéis todo lo adeudado.

SIRENA. ¡El insolente! ¡El salteador de caminos! ¡Cuando es él quien me debe todo su crédito en esta ciudad, que hasta emplearlo yo [1] en el atavío de mi persona no supo lo que era vestir damas!

COLOMBINA. Y los cocineros y los músicos y los criados todos dijeron lo mismo; que no servirán esta noche en la fiesta si no les pagáis por adelantado.

SIRENA. ¡Los sayones! ¡Los foragidos! ¡Cuándo se vió tanta insolencia en gente nacida para servirnos! ¿Es que ya no se paga más que con dinero? ¿Es que ya sólo se estima el dinero en el mundo? ¡Triste de [2] la que se ve como yo, sin el amparo de un marido, ni de parientes, ni de allegados masculinos!... Que una mujer sola nada vale en el mundo por noble y virtuosa que sea. ¡Oh, tiempos de perdición! ¡Tiempos del Apocalipsis! ¡El Anticristo debe ser llegado! [3]

COLOMBINA. Nunca os ví tan apocada. Os desconozco. De mayores apuros supisteis salir adelante.

SIRENA. Eran otros tiempos, Colombina. Contaba yo entonces con mi juventud y con mi belleza como poderosos aliados. Príncipes y grandes señores rendíanse a mis plantas.

COLOMBINA. En cambio, no sería [4] tanta vuestra experiencia y conocimiento del mundo como ahora. Y en cuanto a vuestra belleza, nunca estuvo tan en su punto, podéis creerlo.

SIRENA. ¡Deja lisonjas! ¡Cuándo me vería yo de este modo si fuera la doña Sirena de mis veinte! [5]

COLOMBINA. ¿Años queréis decir?

CRISPÍN.   ¿Y quién lo malgasta y lo pierde sino vos?
Volved a vuestra casa... Decid a Silvia...

SIRENA.   Silvia está aquí.   Vino junto con Colombina,
como otra doncella de mi acompañamiento.   En vuestra
antecámara espera.   Le dije que estabais muy malherido... 5

LEANDRO.   ¡Oh, Silvia mía!

SIRENA.   Sólo pensó en que podíais morir...; nada pensó
en lo que arriesgaba con venir a veros.   ¿Soy vuestra amiga?

CRISPÍN.   Sois adorable   Pronto.   Acostaos aquí, haceos
del doliente [1] y del desmayado.   Ved que si es preciso yo 10
sabré [2] que lo estéis de veras.   (*Amenazándole y haciéndole
sentar en un sillón.*)

LEANDRO.   Sí, soy vuestro, lo sé, lo veo... Pero Silvia
no lo será.   Sí, quiero verla;   decidle que llegue, que he
de salvarla a pesar vuestro, a pesar de todos, a pesar de 15
ella misma.

CRISPÍN.   Comprenderéis que mi señor no siente lo
que dice.

SIRENA.   No lo creo tan necio ni tan loco.   Ven conmigo.   (*Se va con Crispín por la segunda derecha, o sea el* 20
pasillo.)

ESCENA VI

LEANDRO y SILVIA, que sale por la segunda derecha.

LEANDRO.   ¡Silvia! ¡Silvia mía!

SILVIA.   ¿No estás herido?

LEANDRO.   No; ya lo ves... Fué un engaño, un engaño
más para traerte aquí.   Pero no temas; pronto vendrá 25
tu padre, pronto saldrás con él sin que nada tengas que
reprocharme... ¡Oh! Sólo el haber empañado la serenidad
de tu alma con una ilusión de amor, que para ti sólo será
el recuerdo de un mal sueño.

SILVIA. ¿Qué dices, Leandro? ¿Tu amor no era verdad?

LEANDRO. ¡Mi amor, sí...; por eso no ha de engañarte! Sal de aquí pronto, antes de que nadie, fuera de los que aquí te trajeron, pueda saber que viniste.

5 SILVIA. ¿Qué temes? ¿No estoy segura en tu casa? Yo no dudé en venir a ella... ¿Qué peligros pueden amenazarme a tu lado?

LEANDRO. Ninguno; dices bien. Mi amor te defiende de tu misma inocencia.

10 SILVIA. No he de volver a casa de mi padre después de su acción horrible.

LEANDRO. No, Silvia, no culpes a tu padre. No fué él; fué otro engaño más, otra mentira... Huye de mí, olvida a este miserable aventurero, sin nombre, perse-
15 guido por la Justicia.

SILVIA. ¡No, no es cierto! Es que la conducta de mi padre me hizo indigna de vuestro cariño. Eso es. Lo comprendo... ¡Pobre de mí!

LEANDRO. ¡Silvia! ¡Silvia mía! ¡Qué crueles tus dulces
20 palabras! ¡Qué cruel esa noble confianza de tu corazón, ignorante del mal y de la vida!

ESCENA VII

DICHOS y CRISPÍN, que sale corriendo por la segunda derecha.

CRISPÍN. ¡Señor¡ ¡Señor! El señor Polichinela llega.

SILVIA. ¡Mi padre!

LEANDRO. ¡Nada importa! Yo os entregaré a él por
25 mi mano.

CRISPÍN. Ved que no viene solo, sino con mucha gente y justicia con él.

LEANDRO. ¡Ah! ¡Si te hallan aquí! ¡En mi poder! Sin

duda tú les diste aviso... Pero no lograréis vuestro propósito.

CRISPÍN. ¿Yo? No por cierto... Que esto va de veras,
y ya temo que nadie pueda salvarnos.

LEANDRO. ¡A nosotros, no; ni he de intentarlo!... 5
Pero a ella, sí. Conviene ocultarte; queda aquí.

SILVIA. ¿Y tú?

LEANDRO. Nada temas. ¡Pronto, que llegan! (*Esconde
a Silvia en la habitación del foro, diciéndole a Crispín*):
Tú verás lo que trae a esa gente. Sólo cuida de que nadie 10
entre ahí hasta mi regreso... No hay otra huida. (*Se
dirige a la ventana.*)

CRISPÍN. (*Deteniéndole.*) ¡Señor! ¡Tente! ¡No te mates
así!

LEANDRO. No pretendo matarme ni pretendo escapar; 15
pretendo salvarla. (*Trepa hacia arriba por la ventana y
desaparece.*)

CRISPÍN. ¡Señor, señor! ¡Menos mal! Creí que inten-
taba arrojarse al suelo, pero trepó hacia arriba... Es-
peremos todavía... Aun quiere volar... Es su región, las 20
alturas. Yo a la mía, la tierra... Ahora más que nunca
conviene afirmarse en ella. (*Se sienta en un sillón con
mucha calma.*)

ESCENA VIII

CRISPÍN, el SEÑOR POLICHINELA, el HOSTELERO, el SEÑOR PANTALÓN,
el CAPITÁN, ARLEQUÍN, el DOCTOR, el SECRETARIO y dos
ALGUACILES con enormes protocolos de curia. Todos salen por
la segunda derecha, o sea el pasillo.

POLICHINELA. (*Dentro, a gente que se supone fuera.*)
¡Guardad bien las puertas, que nadie salga, hombre ni 25
mujer, ni perro ni gato!

HOSTELERO. ¿Dónde están, dónde están esos bandoleros, esos asesinos?

PANTALÓN. ¡Justicia! ¡Justicia! ¡Mi dinero! ¡Mi dinero! (*Van saliendo todos por el orden que se indica. El Doctor y el Secretario se dirigen a la mesa y se disponen a escribir. Los dos alguaciles de pie, teniendo en las manos los enormes protocolos del proceso.*)

CAPITÁN. Pero ¿es posible lo que vemos, Crispín?

ARLEQUÍN. ¿Es posible lo que sucede?

PANTALÓN. ¡Justicia! ¡Justicia! ¡Mi dinero! ¡Mi dinero!

HOSTELERO. ¡Que los prendan..., que se aseguren de ellos!

PANTALÓN. ¡No escaparán..., no escaparán!

CRISPÍN. Pero ¿qué es esto? ¿Cómo se atropella así la mansión de un noble caballero? Agradezcan la ausencia de mi señor.

PANTALÓN. ¡Calla, calla, que tú eres su cómplice y has de pagar con él!

HOSTELERO. ¿Cómo cómplice? Tan delincuente como su pretendido señor..., que él fué quien me engañó.

CAPITÁN. ¿Qué significa esto, Crispín?

ARLEQUÍN. ¿Tiene razón esta gente?

POLICHINELA. ¿Qué dices ahora, Crispín? ¿Pensaste que habían de valerte tus enredos conmigo? ¿Conque yo pretendí asesinar a tu señor? ¿Conque yo soy un viejo avaro que sacrifica a su hija? ¿Conque toda la ciudad se levanta contra mí llenándome de insultos? Ahora veremos.

PANTALÓN. Dejadle, señor Polichinela, que éste es asunto nuestro, que al fin vos no habéis perdido nada. Pero yo... ¡todo mi caudal, que lo presté sin garantía! ¡Perdido me veré para toda la vida! ¿Qué será de mí?

HOSTELERO. ¿Y yo, decidme, que gasté lo que no
tenía y aun hube de empeñarme por servirle como creí
correspondía a su calidad? ¡Esto es mi destrucción, mi
ruina!

CAPITÁN. ¡Y nosotros también fuimos ruinmente 5
engañados! ¿Qué se dirá de mí, que puse mi espada y mi
valor al servicio de un aventurero?

ARLEQUÍN. ¿Y de mí, que le dediqué soneto tras soneto
como al más noble señor?

POLICHINELA. ¡Ja, ja, ja! 10

PANTALÓN. ¡Sí, reíd, reíd!... Como nada perdisteis...

HOSTELERO. Como nada os robaron...

PANTALÓN. ¡Pronto, pronto! ¿Dónde está el otro
pícaro?

HOSTELERO. Registradlo todo hasta dar con él. 15

CRISPÍN. Poco a poco. Si dais un solo paso... (*Amena-
zando con la espada.*)

PANTALÓN. ¿Amenazas todavía? ¿Y esto ha de sufrirse?
¡Justicia, justicia!

HOSTELERO. ¡Eso es, justicia! 20

DOCTOR. Señores... Si no me atendéis, nada conse-
guiremos. Nadie puede tomarse justicia por su mano,
que la justicia no es atropello ni venganza, y *summum
jus, summa injuria.*[1] La Justicia es todo sabiduría, y la
sabiduría es todo orden, y el orden es todo razón, y la 25
razón es todo procedimiento, y el procedimiento es todo
lógica. *Barbara, Celare, Dario, Ferioque, Baralipton,*[2]
depositad en mí vuestros agravios y querellas, que todo
ha de unirse a este proceso que conmigo traigo.

CRISPÍN. ¡Horror! ¡Aun ha crecido! 30

DOCTOR. Constan aquí otros muchos delitos de estos
hombres, y a ellos han de sumarse estos de que ahora les

acusáis. Y yo seré parte en todos ellos; sólo así obtendréis la debida satisfacción y justicia. Escribid, señor Secretario, y vayan deponiendo los querellantes.

PANTALÓN. Dejadnos de embrollos, que bien conoce-
5 mos vuestra justicia.

HOSTELERO. No se escriba nada, que todo será poner lo blanco negro... Y quedaremos nosotros sin nuestro dinero y ellos sin castigar.

PANTALÓN. Eso, eso... ¡Mi dinero, mi dinero! ¡Y
10 después justicia!

DOCTOR. ¡Gente indocta, gente ignorante, gente in- civil! ¿Qué idea tenéis de la Justicia? No basta que os digáis perjudicados si no pareciere bien claramente que hubo intención de causaros perjuicio, esto es, fraude o
15 dolo, que no es lo mismo... aunque la vulgar acepción los confunda. Pero sabed... que en el un caso...

PANTALÓN. ¡Basta! ¡Basta! Que acabaréis por decir que fuimos nosotros los culpables.

DOCTOR. ¡Y como pudiera ser si os obstináis en negar
20 la verdad de los hechos!...

HOSTELERO. ¡Ésta es buena![1] Que fuimos robados. ¿Quiere más verdad ni más claro delito?

DOCTOR. Sabed que robo no es lo mismo que hurto; y mucho menos que fraude o dolo, como dije primero.
25 Desde las doce tablas[2] hasta Justiniano, Triboniano, Emiliano y Triberiano[3]...

PANTALÓN. Todo fué quedarnos sin nuestro dinero... Y de ahí no habrá quien nos saque.

POLICHINELA. El señor Doctor habla muy en razón.
30 Confiad en él, y que todo conste en proceso.

DOCTOR. Escribid, escribid luego, señor Secretario.

CRISPÍN. ¿Quieren oírme?

PANTALÓN. ¡No, no! Calle el pícaro..., calle el desvergonzado.

HOSTELERO. Ya hablaréis donde os pesará.

DOCTOR. Ya hablará cuando le corresponda, que a todos ha de oírse en justicia... Escribid, escribid. En la ciudad de..., a tantos... No sería malo proceder primeramente al inventario de cuanto hay en la casa.

CRISPÍN. No dará tregua a la pluma...

DOCTOR. Y proceder al depósito de fianza por parte de los querellantes, por que no pueda haber sospecha en su buena fe. Bastará con dos mil escudos de presente y caución de todos sus bienes...

PANTALÓN. ¿Qué decís? ¡Nosotros dos mil escudos!

DOCTOR. Ocho debieran ser; pero basta que seáis personas de algún crédito para que todo se tenga en cuenta, que nunca fuí desconsiderado...

HOSTELERO. ¡Alto, y no se escriba más, que no hemos de pasar por eso!

DOCTOR. ¿Cómo? ¿Así se atropella a la Justicia? Ábrase proceso separado por violencia y mano airada contra un ministro de Justicia en funciones de su ministerio.

PANTALÓN. ¡Este hombre ha de perdernos!

HOSTELERO. ¡Está loco!

DOCTOR. ¿Hombre y loco, decís? Hablen con respeto. Escribid, escribid que hubo también ofensas de palabra...

CRISPÍN. Bien os está por no escucharme.

PANTALÓN. Habla, habla, que todo será mejor, según vemos.

CRISPÍN. Pues atajen a ese hombre, que levantará un monte con sus papelotes.

PANTALON. ¡Basta, basta ya, decimos!

HOSTELERO.   Deje la pluma...

DOCTOR.   Nadie sea osado a poner mano en nada.

CRISPÍN.   Señor Capitán, sírvanos vuestra espada, que es también atributo de justicia.

5 CAPITÁN.   (*Va a la mesa y da un fuerte golpe con la espada en los papeles que está escribiendo el Doctor.*) Háganos la merced de no escribir más.

DOCTOR.   Ved lo que es pedir las cosas en razón. Suspended las actuaciones, que hay cuestión previa a 10 dilucidar... Hablen las partes entre sí... Bueno fuera, no obstante, proceder en el ínterin al inventario...

PANTALÓN.   ¡No, no!

DOCTOR.   Es formalidad que no puede evitarse.

CRISPÍN.   Ya escribiréis cuando sea preciso.   Dejadme 15 ahora hablar aparte con estos honrados señores.

DOCTOR.   Si os conviene sacar testimonio de cuanto aquí les digáis...

CRISPÍN.   Por ningún modo.   No se escriba una letra, o no hablaré palabra.

20 CAPITÁN.   Deje hablar al mozo.

CRISPÍN.   ¿Y qué he de deciros? ¿De qué os quejáis? ¿De haber perdido vuestro dinero? ¿Qué pretendéis? ¿Recobrarlo?

PANTALÓN.   ¡Eso, eso! ¡Mi dinero!

25 HOSTELERO.   ¡Nuestro dinero!

CRISPÍN.   Pues escuchadme aquí... ¿De dónde habéis de cobrarlo si así quitáis crédito a mi señor y así hacéis imposible su boda con la hija del señor Polichinela? ¡Voto a..., que siempre pedí tratar con pícaros mejor 30 que con necios! Ved lo que hicisteis y cómo se compondrá ahora con la Justicia de por medio. ¿Qué lograréis ahora si dan con nosotros en galeras o en sitio peor? ¿Será buena

moneda para cobraros las túrdigas de nuestro pellejo?
¿Seréis más ricos, más nobles, o más grandes, cuando
nosotros estemos perdidos? En cambio, si no nos hubierais
estorbado a tan mal tiempo, hoy, hoy mismo tendríais
vuestro dinero, con todos sus intereses..., que ellos solos 5
bastarían a llevaros a la horca, si la Justicia no estuviera
en esas manos y en esas plumas... Ahora haced lo que os
plazca, que ya os dije lo que os convenía...

DOCTOR.   Quedaron suspensos [1]...

CAPITÁN.   Yo aun no puedo creer que ellos sean tales 10
bellacos.

POLICHINELA.   Este Crispín... Capaz será de conven-
cerlos...

PANTALÓN.   (*Al Hostelero.*) ¿Qué decís a esto? Bien
mirado... 15

HOSTELERO.   ¿Qué decís vos?

PANTALÓN.   Dices que hoy mismo se hubiera casado
tu amo con la hija del señor Polichinela. ¿Y si él no da su
consentimiento?...

CRISPÍN.   De nada ha de servirle. Que su hija huyó con 20
mi señor..., y lo sabrá todo el mundo... Y a él más que
a nadie importa que nadie sepa cómo su hija se perdió
por un hombre sin condición, perseguido por la Justicia.

PANTALÓN.   Si así fuera... ¿Qué decís vos?

HOSTELERO.   No nos ablandemos. Ved que el bellacón 25
es maestro en embustes.

PANTALÓN.   Decís bien. No sé cómo pude creerlo.
¡Justicia! ¡Justicia!

CRISPÍN.   ¡Ved que lo perdéis todo!

PANTALÓN.   Veamos todavía... Señor Polichinela, dos 30
palabras.

POLICHINELA.   ¿Qué me queréis?

PANTALÓN. Suponed que nosotros no hubiéramos tenido razón para quejarnos. Suponed que el señor Leandro fuera, en efecto, el más noble caballero..., incapaz de una baja acción...

5 POLICHINELA. ¿Qué decís?

PANTALÓN. Suponed que vuestra hija le amara con locura, hasta el punto de haber huido con él de vuestra casa.

POLICHINELA. ¿Que mi hija huyó de mi casa y con ese 10 hombre? ¿Quién lo dijo? ¿Quién fué el desvergonzado...?

PANTALÓN. No os alteréis. Todo es suposición.

POLICHINELA. Pues aun así no he de tolerarlo.

PANTALÓN. Escuchad con paciencia. Suponed que todo eso hubiera sucedido. ¿No os sería forzoso casarla?

15 POLICHINELA. ¿Casarla? ¡Antes la mataría! Pero es locura pensarlo. Y bien veo que eso quisierais para cobraros a costa mía, que sois otros tales bribones. Pero no será, no será...

PANTALÓN. Ved [1] lo que decís, y no se hable aquí de 20 bribones, cuando estáis presente.

HOSTELERO. ¡Eso, eso!

POLICHINELA. ¡Bribones, bribones, combinados para robarme! Pero no será, no será.

DOCTOR. No hayáis [2] cuidado, señor Polichinela, que 25 aunque ellos renunciaran a perseguirle, ¿no es nada este proceso? ¿Creéis que puede borrarse nada de cuanto en él consta, que son cincuenta y dos delitos probados y otros tantos que no necesitan probarse?...

PANTALÓN. ¿Qué decís ahora, Crispín?

30 CRISPÍN. Que todos esos delitos si fueran tantos, son como estos otros... Dinero perdido que nunca se pagará si nunca le tenemos.

DOCTOR. ¡Eso no! Que yo he de cobrar lo que me corresponda de cualquier modo que sea.

CRISPÍN. Pues será de los que se quejaron, que nosotros harto haremos en pagar con nuestras personas.

DOCTOR. Los derechos de justicia son sagrados, y lo 5 primero será embargar para ellos cuanto hay en esta casa.

PANTALÓN. ¿Cómo es eso? Esto será para cobrarnos en algo.

HOSTELERO. Claro es; y de otro modo...

DOCTOR. Escribid, escribid, que si hablan todos nunca 10 nos entenderemos.

PANTALÓN Y HOSTELERO. ¡No, no!

CRISPÍN. Oídme aquí, señor Doctor. ¿Y si se os pagara de una vez y sin escribir tanto, vuestros... cómo los llamáis? ¿Estipendios? 15

DOCTOR. Derechos de justicia.

CRISPÍN. Como queráis. ¿Qué os parece?

DOCTOR. En ese caso...

CRISPÍN. Pues ved que mi amo puede ser hoy rico, poderoso, si el señor Polichinela consiente en casarle con 20 su hija. Pensad que la joven es hija única del señor Polichinela; pensad en que mi señor ha de ser dueño de todo; pensad...

DOCTOR. Puede, puede estudiarse.

PANTALÓN. ¿Qué os dijo? 25

HOSTELERO. ¿Qué resolvéis?

DOCTOR. Dejadme reflexionar. El mozo no es lerdo y se ve que no ignora los procedimientos legales. Porque si consideramos que la ofensa que recibisteis fué puramente pecuniaria y que todo delito que puede ser reparado 30 en la misma forma lleva en la reparación el más justo castigo; si consideramos que así en la ley bárbara y primi-

tiva del talión [1] se dijo: ojo por ojo, diente por diente,
mas no diente por ojo ni ojo por diente... Bien puede
decirse en este caso escudo por escudo. Porque al fin,
él no os quitó la vida para que podáis exigir la suya en
5 pago. No os ofendió en vuestra persona, honor, ni buena
fama, para que podáis exigir otro tanto. La equidad es la
suprema justicia. *Equitas justicia magna est.* [2] Y desde
las Pandectas [3] hasta Triboniano con Emiliano Triboniano [4]...

10   PANTALÓN. No digáis más. Si él nos pagara...

HOSTELERO. Como él nos pagara...

POLICHINELA. ¡Qué disparates son éstos, y cómo ha
de pagar, ni qué tratar ahora!

CRISPÍN. Se trata de que todos estáis interesados en
15 salvar a mi señor, en salvarnos por interés de todos.
Vosotros, por no perder vuestro dinero; el señor Doctor,
por no perder toda esa suma de admirable doctrina que
fuisteis depositando en esa balumba de sabiduría; el
señor Capitán, porque todos le vieron amigo de mi amo,
20 y a su valor importa que no se murmure de su amistad
con un aventurero; vos, señor Arlequín, porque vuestros
ditirambos de poeta perderían todo su mérito al saber
que tan mal los empleasteis; vos, señor Polichinela...,
antiguo amigo mío, porque vuestra hija es ya ante el
25 Cielo y ante los hombres la esposa del señor Leandro.

POLICHINELA. ¡Mientes, mientes! ¡Insolente, desvergonzado!

CRISPÍN. Pues procédase al inventario de cuanto hay
en la casa. Escribid, escribid, y sean todos estos señores
30 testigos y empiécese por este aposento. (*Descorre el tapiz
de la puerta del foro y aparecen formando grupo Silvia,
Leandro, doña Sirena, Colombina y la señora de Polichinela.*)

Escena Última

Dichos, Silvia, Leandro, Doña Sirena, Colombina y la Señora
de Polichinela, que aparecen por el foro.

Pantalón y Hostelero.   ¡Silvia!

Capitán y Arlequín.   ¡Juntos! ¡Los dos!

Polichinela.   ¿Conque era cierto? ¡Todos contra mí!
¡Y mi mujer y mi hija con ellos! ¡Todos conjurados para
robarme! ¡Prended a ese hombre, a esas mujeres, a ese 5
impostor, o yo mismo...!

Pantalón.   ¿Estáis loco, señor Polichinela?

Leandro.   (*Bajando al proscenio en compañía de los
demás.*) Vuestra hija vino aquí creyéndome malherido
acompañada de doña Sirena, y yo mismo corrí al punto en 10
busca de vuestra esposa para que también la acompañara.
Silvia sabe quién soy, sabe toda mi vida de miserias, de
engaños, de bajezas, y estoy seguro que de nuestro sueño
de amor nada queda en su corazón... Llevadla de aquí,
llevadla; yo os lo pido antes de entregarme a la Justicia. 15

Polichinela.   El castigo de mi hija es cuenta mía;
pero a ti... ¡Prendedle digo!

Silvia.   ¡Padre! Si no le salváis, será mi muerte. Le
amo, le amo siempre, ahora más que nunca. Porque su
corazón es noble y fué muy desdichado, y pudo hacerme 20
suya con mentir, y no ha mentido.

Polichinela.   ¡Calla, calla, loca, desvergonzada! Éstas son las enseñanzas de tu madre..., sus vanidades y
fantasías. Éstas son las lecturas romancescas, las músicas
a la luz de la luna. 25

Señora de Polichinela.   Todo es preferible a que
mi hija se case con un hombre como tú, para ser desdichada
como su madre.   ¿De qué me sirvió nunca la riqueza?

SIRENA. Decís bien, señora Polichinela. ¿De qué sirven las riquezas sin amor?

COLOMBINA. De lo mismo que el amor sin riquezas.

DOCTOR. Señor Polichinela, nada os estará mejor que
5 casarlos.

PANTALÓN. Ved que esto ha de saberse en la ciudad.

HOSTELERO. Ved que todo el mundo estará de su parte.

CAPITÁN. Y no hemos de consentir que hagáis violencia
10 a vuestra hija.

DOCTOR. Y ha de constar en el proceso que fué hallada aquí, junta con él.

CRISPÍN. Y en mi señor no hubo más falta que carecer de dinero, pero a él nadie le aventajará en nobleza...,
15 y vuestros nietos serán caballeros... si no dan en salir al abuelo...

TODOS. ¡Casadlos! ¡Casadlos!

PANTALÓN. O todos caeremos sobre vos.

HOSTELERO. Y saldrá a relucir vuestra historia...
20 ARLEQUÍN. Y nada iréis ganando...

SIRENA. Os lo pide una dama, conmovida por este amor tan fuera de estos tiempos.

COLOMBINA. Que más parece de novela.

TODOS. ¡Casadlos! ¡Casadlos!
25 POLICHINELA. Cásense enhoramala. Pero mi hija quedará sin dote y desheredada... Y arruinaré toda mi hacienda antes que ese bergante...

DOCTOR. Eso sí que no haréis, señor Polichinela.

PANTALÓN. ¿Qué disparates son ésos?
30 HOSTELERO. ¡No lo penséis siquiera!

ARLEQUÍN. ¿Qué se diría?

CAPITÁN. No lo consentiremos.

SILVIA. No, padre mío; soy yo la que nada acepto, soy yo la que ha de compartir su suerte. Así le amo.

LEANDRO. Y sólo así puedo aceptar tu amor... (*Todos corren hacia Silvia y Leandro.*)

DOCTOR. ¿Qué dicen? ¿Están locos? 5

PANTALÓN. ¡Eso no puede ser!

HOSTELERO. ¡Lo aceptaréis todo!

ARLEQUÍN. Seréis felices y seréis ricos.

SEÑORA DE POLICHINELA. ¡Mi hija en la miseria! ¡Ese hombre es un verdugo! 10

SIRENA. Ved que el amor es niño delicado y resiste pocas privaciones.

DOCTOR. ¡No ha de ser! Que el señor Polichinela firmará aquí mismo espléndida donación, como corresponde a una persona de su calidad y a un padre aman- 15 tísimo. Escribid, escribid, señor Secretario, que a esto no ha de oponerse nadie.

TODOS. (*Menos Polichinela.*) ¡Escribid, escribid!

DOCTOR. Y vosotros, jóvenes enamorados..., resignaos con las riquezas, que no conviene extremar escrúpulos 20 que nadie agradece.

PANTALÓN. (*A Crispín.*) ¿Seremos pagados?

CRISPÍN. ¿Quién lo duda? Pero habéis de proclamar que el señor Leandro nunca os engañó... Ved cómo se sacrifica por satisfaceros aceptando esa riqueza, que ha 25 de repugnar a sus sentimientos.

PANTALÓN. Siempre le creímos un noble caballero.

HOSTELERO. Siempre.

ARLEQUÍN. Todos lo creímos.

CAPITÁN. Y lo sostendremos siempre. 30

CRISPÍN. Y ahora, Doctor, ese proceso, ¿habrá tierra bastante en la tierra para echarle encima?

DOCTOR. Mi previsión se anticipa a todo. Bastará con puntuar debidamente algún concepto... Ved aquí: donde dice... «Y resultando que si no declaró...», basta una coma, y dice: «Y resultando que sí, no declaró...» Y aquí: «Y resultando que no, debe condenársele...», fuera la coma, y dice: «Y resultando que no debe condenársele...»

CRISPÍN. ¡Oh, admirable coma! ¡Maravillosa coma! ¡Genio de la Justicia! ¡Oráculo de la Ley! ¡Monstruo de la Jurisprudencia!

DOCTOR. Ahora confío en la grandeza de tu señor.

CRISPÍN. Descuidad. Nadie mejor que vos sabe cómo el dinero puede cambiar a un hombre.

SECRETARIO. Yo fuí el que puso y quitó esas comas...

CRISPÍN. En espera de algo mejor... Tomad esta cadena. Es de oro.

SECRETARIO. ¿De ley? [1]

CRISPÍN. Vos lo sabréis que entendéis de leyes...

POLICHINELA. Sólo impondré una condición. Que este pícaro deje para siempre de estar a tu servicio.

CRISPÍN. No necesitáis pedirlo, señor Polichinela. ¿Pensáis que soy tan pobre de ambiciones como mi señor?

LEANDRO. ¿Quieres dejarme, Crispín? No será sin tristeza de mi parte.

CRISPÍN. No la tengáis, que ya de nada puedo serviros y conmigo dejáis la piel del hombre viejo... ¿Qué os dije, señor? Que entre todos habían de salvarnos... Creedlo. Para salir adelante con todo, mejor que crear afectos es crear intereses...

LEANDRO. Te engañas, que sin el amor de Silvia, nunca me hubiera salvado.

CRISPÍN.   ¿Y es poco interés ese amor? Yo dí siempre
su parte al ideal y conté con él siempre. Y ahora, acabó
la farsa.

SILVIA.   (*Al público*.) Y en ella visteis, como en las
farsas de la vida, que a estos muñecos como a los hu-   5
manos, muévenlos cordelillos groseros, que son los intereses, las pasioncillas, los engaños y todas las miserias de
su condición: tiran unos de sus pies y los llevan a tristes
andanzas; tiran otros de sus manos, que trabajan con
pena, luchan con rabia, hurtan con astucia, matan con   10
violencia.   Pero entre todos ellos, desciende a veces del
cielo al corazón un hilo sutil, como tejido con luz de sol
y con luz de luna, el hilo del amor, que a los humanos,
como a estos muñecos que semejan humanos, les hace
parecer divinos, y trae a nuestra frente resplandores de   15
aurora, y pone alas en nuestro corazón y nos dice que no
todo es farsa en la farsa, que hay algo divino en nuestra
vida que es verdad y es eterno y no puede acabar cuando
la farsa acaba.

NOTES

With few exceptions the Notes contain only words and locutions that require more than translation or a word or two of simple explanation; for other forms see vocabulary.

Grammatical references, when not given in full, are as follows:

Ramsey = M. M. Ramsey, *A Text Book of Modern Spanish*, New York, 1894.

Bello-Cuervo = Andrés Bello, *Gramática de la lengua castellana . . . con extensas notas y un copioso índice alfabético de D. Rufino José Cuervo*, Paris, 1908.

SIN QUERER

This one-act comedy illustrates Benavente's fondness for ironical and surprising situations. It is characteristic of the time when he was wont to make fun of the aristocratic circles of Madrid. The ostensible purpose of the play is to ridicule the traditional manner of arranging marriages in Spain. Joined to this is the more simple idea of amusing the audience. It is interesting to note that Benavente himself acted the part of Pepe in the first production of the piece, thereby demonstrating his close relationship with the practical side of the theater. The Teatro de la Comedia, where the sketch was first shown, is on the Calle del Príncipe, near the Puerta del Sol, in Madrid. It is devoted to high-class comedy. Press notices attest that *Sin querer* was well received by the public.

Page 3. — 1. **con que** 'provided,' 'if only.' The meaning of this conjunction varies according to whether it is followed by the indicative or the subjunctive. See vocabulary, under **con**.

2. **que pase** 'let him come in.' Here **que** introduces the

imperative of the third person; the different uses of **que** must be carefully distinguished in the three plays of this volume.

3. **nos avisas.** The present indicative, instead of the future or imperative, for greater vividness.

4. **Porque me haya usted oído** 'Because you may have heard me.' **Porque** does not influence the mood of **haya**; the subjunctive is governed by an idea of possibility not expressed, but which might be indicated by **es posible** or by **se puede.**

5. **una.** An indefinite subject, indicated in English by 'one,' 'we,' 'you,' 'they,' 'people,' etc., is usually expressed in Spanish by the reflexive. The pronoun **uno** or **una** may, however, replace **se** and it tends to make the subject less vague.

6. **Tratándose de usted** 'When you are concerned.' Participial constructions (whether the participle be present or past) are frequently best translated by dependent clauses.

7. **al pasar** 'in passing,' 'when you pass.' The common use of **al** with the infinitive, where English has a dependent clause or the present participle governed usually by 'in,' 'on,' 'upon,' 'while,' etc.

Page 4. — 1. **hombre.** A common form of emphatic address, sometimes to be translated and sometimes to be omitted according to the English context; **mujer** is similarly employed.

2. **Ya supondrás** 'Of course you must suppose' (or 'imagine'). The future tense denoting probability is especially prominent in conversation and therefore in the drama, and must be watched closely. It may be translated by 'must' or 'can,' or by such words as 'probably,' 'quite,' 'of course.' **Ya** frequently accompanies it.

3. **nuestro corazón.** When reference is made to a part of the body common to two or more individuals of a group, or to an object possessed by each one of them, Spanish, unlike English, generally employs a singular noun.

4. **de . . . a.** Correlative prepositions equivalent to 'between . . . and.'

5. **hemos de** 'should.' Perhaps no Spanish locution assumes so many shades of meaning as **haber de.** It may be rendered by any of the large number of English words and phrases that denote a mild obligation. When it occurs in this text, the list

of meanings in the vocabulary should be consulted and the most appropriate one chosen. Moreover, the reader has ample opportunity, in particular cases, to improve upon any given list of meanings.

Page 5. — 1. **habrá dicho** 'must have told.' The future perfect of probability; cf. page 4, note 2.

2. **es hora de que** 'it is time that.' Many verbs, adjectives, and nouns require a preposition before an infinitive in Spanish and in English. Thus, **es hora de comer** means 'it is time *to* eat.' But whereas in English this preposition is omitted before a dependent clause introduced by 'that,' in Spanish it is usually retained.

3. **Real (el).** A theater in Madrid on the Plaza de Oriente near the Royal Palace; it is subsidized by the government and is devoted to opera.

4. **Lo que es** 'As for.' A peculiar use of **lo que** with **ser,** to be distinguished from its ordinary meanings and from its meanings in exclamations.

5. **tercer turno.** A term designating one of the sections of season ticket holders at the Teatro Real. One group holds tickets of **primer turno,** another of **segundo turno,** and a third of **tercer turno.** Each group attends only the performances belonging to its turn or section. The terms do not give much satisfaction if translated literally.

6. **no le importaría** 'he wouldn't mind.' Impersonal verbs occur much more frequently in Spanish than in English, and it is often wise, in translating, to change to the personal construction (cf. translation of **tratándose,** page 3, note 6). However, the impersonal form may well be retained, if appropriate. In this book consideration is to be given to such verbs as **antojarse, bastar, constar, convenir, gustar, importar, pasar, pesar, placer, sentar, sobrar, suceder, tardarse, tratarse,** etc. The vocabulary suggests various translations.

7. **desde muy niña** 'since you were very young.' Here **muy** is correct because, in this context, **niña** is virtually an adjective; cf. **muy hombre, muy maestro,** and the English 'very much a man.'

Page 6. — 1. **¡Ay, si lo sé!** 'Indeed I do know it,' 'Of course

I know it.' It is not unusual to find **si** after interjections; cf. ¡ **vaya si lo sé !** Here **si,** meaning 'whether,' may be regarded as grammatically dependent upon some verb of asking understood.

2. **no estás para** 'you are not in a position to.' The idiom here has a different meaning from the usual 'be about to.'

3. **que.** Here elliptical and emphatic; **que** often occurs at the beginning of a clause, and serves to call attention to what follows, thereby intensifying the statement; such a **que** cannot be translated. To understand it we may supply some such word as **parece, hay, sucede,** etc.

4. **nosotros.** Note the emphatic position of this word, stressed by the insertion of **se puede decir que.**

5. ¿ **Cómo había de importarme ?** 'How could I have cared?' See page 4, note 5.

6. **Estaba seguro de que** 'I was sure that.' See page 5, note 2.

7. **enamoradilla** 'slightly in love.' The exact force of certain Spanish augmentatives and diminutives cannot readily be given in English. An effort has been made in the vocabulary to suggest suitable translations wherever a fair degree of accuracy seems attainable.

8. **no se diga** 'there's no denying it,' 'there's no use talking.' **Decir** is used in several exclamatory or semi-exclamatory expressions where a different verb would often be employed in English. Attention will be called to other examples.

Page 7. — 1. **Fulanito . . . Menganito. Fulano** regularly corresponds to So-and-So, John Doe, etc. If a second name is desired, **Mengano** or **Zutano** is used. The diminutive can scarcely be translated.

2. **cómo se va avispando** 'how clever he is getting.' In progressive tenses, **ir** emphasizes, more strongly than **estar,** continuity of action.

3. **tonterías.** Contrary to English usage, abstract nouns are often put in the plural. Translations of such forms are suggested in various ways in the vocabulary.

4. ¿ **Qué iba yo a cambiar . . . ?** 'What was I going to change in a saint [if I married one]?' *i.e.* 'What could I change?' The

conditional of **poder** would be an obvious conventional form, but the imperfect indicative and the verb **ir** add strength to the question; cf. the English 'What are you going to do about it?'

5. **de gran espectáculo, con mutaciones.** Pepe borrows from theatrical language to describe vividly the kind of husband for whom Luisa professes admiration.

6. **me parece.** See page 5, note 6.

7. **Si yo no tengo secretos** 'Why, I haven't any secrets.' **Si** is often to be translated by 'why,' 'well,' or 'of course,' expressive of surprise or expostulation. A clause is suppressed for brevity. The full form would be something like this — **Si yo no tengo secretos . . . ¿cómo quieres que te lo diga?**

8. **formal.** Used by Luisa to mean 'real,' 'genuine'; Pepe pretends to take it in its sense of 'serious' or 'sensible.'

9. **Digo** 'I mean.' See page 6, note 8.

Page 8. — 1. **pareció.** According to strict rule, the preterit tense may indicate any definite past action, even if it took place only a moment ago. However, for actions so recent that they almost touch the present, the perfect (*e.g.* **ha parecido**) is the common tense. The preterit, when sparingly and skilfully applied, adds variety and vigor to the phrase. It is especially preferred in describing something inevitable. The English translation requires the perfect (*e.g.* 'has appeared') or (occasionally) even the present.

2. **quieras que no** 'whether you like it or not.' The full form is **que quieras o que no quieras; que quieras que no** and **quieras o no quieras** are also found. Ramsey, § 940, says: "The alternative expressions made by the subjunctive used independently may be regarded as modifications of the imperative, in which the thing commanded is so indeterminate that they are mere general permissions." See also, §§ 941, 942.

3. **orejita.** See page 6, note 7.

4. **la tienes.** A frequent conversational substitute for **estar,** which here would give **está cantando.**

Page 9. — 1. **podía.** The imperfect indicative sometimes replaces the conditional or the –ra form of the imperfect subjunctive in the conclusion of a conditional sentence contrary to

fact. Cf. Bello-Cuervo, § 695: "This use of the imperfect
indicative does not occur often; but when properly used it is
emphatic and elegant." See page 7, note 4.

2. **quien.** Note the singular form with a plural antecedent,
still found occasionally; **quien** (from the Latin *quem*) had no
plural until the sixteenth century; see Menéndez Pidal, *Gramática histórica española*, § 101.

3. **que todo se quede en casa** 'that it should all remain a
family matter.'

Page 10. — 1. **que lo envolvía todo** 'that enveloped it all.'
See page 15, note 3.

2. **Sí.** The affirmative adverb **sí** is much used to intensify
statements, or to repeat the idea contained in a preceding statement. It is equivalent to 'indeed,' 'surely,' 'of course,' etc.,
or to the English auxiliary verbs used in repetitions; for instance
in "I have not gone to town but he has," the verb 'has' may be
rendered by **sí.**

3. **en lo único que** 'the only thing in which.' The word
order, although not strictly logical, is correct and even elegant.
In expressions containing **lo que,** prepositions which logically
govern **que** are often placed before **lo.**

Page 11. — 1. **serían.** Following **me atrevo,** present, we
should expect **serán,** but **serían** exemplifies the occasional inac-
curacy of everyday speech. Luisa is narrating past happenings,
and is therefore influenced by the standpoint of the past.

2. **está.** Supply **diciendo.**

3. **que** is elliptical; see page 6, note 3.

4. **cariñosa.** A predicate adjective modifying the subject;
English uses an adverb modifying the verb.

5. **que en qué cosas me fijo.** This **que,** not translatable, is
required to connect **dirás** with the following indirect question,
and very often joins **decir** to succeeding words or statements;
cf. **decir que sí** etc.

Page 12. — 1. **por complacer.** Before an infinitive **por**
ordinarily expresses cause or reason; when substituted for **para**
to indicate purpose, as here, it implies that the attainment of
the object is uncertain; **por que** is sometimes similarly used
instead of **para que.**

2. **porque a ellos les conviniera** 'because it might suit *them.*'
See page 3, note 4.

3. **nunca lo hubiera habido** 'there never would have been
any.' **Lo** refers to a preceding word, phrase, or idea (in this
case to **desaire**), and is translated (if at all) by 'one,' 'some,'
'any,' or 'so.' **Hubiera habido** is the pluperfect subjunctive of
haber in the impersonal sense.

4. **por no contrariar.** See page 12, note 1.

5. **pero.** Used to reinforce the repetition; cf. *mais* in French,
and the occasional use in English of the word 'and,' which is
not unsuitable here.

Page 13. — 1. **sales.** See page 3, note 3.

Page 14. — 1. **¿A qué ha venido?** 'For what has he come?'
'Why has he come?' This use of **a** is parallel to its use before
an infinitive after **venir** and other intransitive verbs of motion.
In this case **a** expresses purpose.

Page 15. — 1. **se.** Ethical dative, best omitted in translation; analysis shows that the pronoun contains an idea of advantage, or at least of reference, to the subject.

2. **del botarate de su hijo** 'of his madcap of a son.' In Spanish, as in English, the preposition merely denotes that what
follows is appositive. There is no change of identity. In
Spanish, this construction is more comprehensive than in English: **el bueno de Juan.** Note **la ciudad de Madrid** 'the city of
Madrid.'

3. **todo lo.** When **todo** precedes a verb of which it is the
object, **lo** also must be used. When **todo** follows the verb, **lo**
may be used, but is not required. See page 10, note 1.

4. **sin contar . . . con.** See vocabulary under **contar,** and see
page 21, note 1.

DE PEQUEÑAS CAUSAS

De pequeñas causas . . . illustrates Benavente's satirical
vein. It seems to have been written chiefly to amuse; but the
plot amply allows for character study. The pettiness of the
reason that finally induces Manuel to remain in the ministry
reminds the listener or reader of the author's delight in details
and in ironical situations. The Teatro de la Princesa, where the

comedy was first performed, is on the Calle de Tamayo near
the Paseo de Recoletos in Madrid. This theater is devoted to
the production of high-class comedy. Contemporary press
reports state that *De pequeñas causas* . . . was well received.
The implication in the title is that from small causes proceed great results.

Page 19. — 1. **está.** Supply **en casa.**

2. **para mí sí** 'for me he *is*'; cf. page 10, note 2.

3. **Nada.** Incomplete in itself; here we might translate:
'Don't say anything,' 'There's no use talking,' 'Not a word.'

4. **guste.** The personal use of **gustar;** see vocabulary.

Page 20. — 1. **señor . . . señor.** The first **señor** refers to
Manuel, and illustrates a conventional way in which servants
address their masters; the second refers to González. On the
stage the servant would make his reference clear by gestures.

Page 21. — 1. **cuenta usted con** 'you have at your disposal.'
The idiom **contar con** assumes many shades of meaning that are
developed from the literal meaning 'count with' or 'reckon
with.' When **contar con** occurs in this book, the list of translations in the vocabulary should be consulted, and the most
suitable one chosen.

2. **¿ a qué?** The personal **a** is used for clearness and emphasis. Cf. Ramsey, § 1318: "Verbs of naming, calling, considering, etc., may take two direct objects — the true object
and the predicate or thing asserted. The true object takes the
distinctive **a.**"

3. **pasar por.** Distinguish here between the two meanings
'pass through' (*i.e.* 'go through with,' 'put up with') and 'pass
for' or 'be regarded as.' Here **pasar por** means 'put up with.'

Page 22. — 1. **Me basto.** Personal use of **bastar;** see vocabulary.

2. **Mire usted que** 'Look out or' 'Bear in mind that.' **Mirar**
sometimes assumes peculiar meanings in exclamatory or semi-
exclamatory expressions; note the translation of **que.**

Page 23. — 1. **hacer saber** 'make known.' One of the most
common formations in Spanish, and yet frequently hard to
translate; **hacer** with the infinitive is variously rendered by
'make,' 'have,' 'get,' 'cause to,' or 'let' with the passive.

Page 24. — 1. **el señor ministro.** Before a title or before the name of a relative of the person addressed, **señor** should not be translated unless the use of 'Mr.' is natural, as in a few cases of direct address; cf. 'Mr. President,' 'Mr. Secretary.'

2. **Si acaso** 'Well perhaps.' If a clause is supplied the meaning of this expression will be clear; we might say — 'If by chance I read any, I read. . . .'

3. **créditos extraordinarios.** Several terms in this and the succeeding speech are borrowed by Emilia from financial and ministerial language; the effect is ironical.

Page 25. — 1. **creación.** A gallicism used in Spain as the word 'creation' is used in England or America in speaking, for instance, of a woman's gown or hat.

2. **el chic.** A French word, used as a substantive and as an adjective both in French and in Spanish, which borrows the word.

Page 26. — 1. **Si no me ha dicho nada,** etc. Translate **si** by 'why'; see page 7, note 7.

2. **tomarme.** An ethical dative expressing advantage; hardly translatable; see page 15, note 1.

Page 27. — 1. **Que la acepten o no la acepten** expresses an alternative: 'Whether . . . or not.' See page 8, note 2.

2. **pero sí** 'but you *have* seen in me.' See page 10, note 2. In this case **sí** takes the place of several words.

Page 28. — 1. **diputado.** After this word a few lines spoken by Emilia and Manuel are omitted; it is not believed that their absence obscures seriously the progress of the plot.

2. **mundo.** Five words spoken by Manuel are omitted.

3. **Lo que ha de ser.** An unfinished statement, easily completed by adding something to repeat the idea expressed by **ha de ser.** Cf. the English 'What is to be, must be.'

Page 29. — 1. **¡Que no tendrás ocasión!** 'As if you won't have the chance.' Note the numerous possible translations of **que.**

2. **No es de baile** 'It isn't meant for a ball.' Distinguish between **ser de** 'belong to' or 'be meant for' and **ser de** 'become of.'

Page 30. — 1. **No me explico** 'I don't understand.' The pronoun is indirect object.

Page **31.** — 1. ¡ **Tendría que ver!** A forcible idiomatic
expression denoting scorn; the verb is in the third person; see
vocabulary and cf. the English 'I'd like to see myself [doing such
a thing]!'

2. **lo** refers to **sacrificio.** See page 12, note 3.

3. **Sí que** 'Of course,' 'As if.' Sometimes **sí** is connected by
que with what follows; the statement is thereby emphasized.

4. **a los hombres os parece** 'you men think.' When a noun
is in apposition with a personal pronoun, it is regularly preceded
by the article, because it is used in a general sense: 'to [all you]
men.'

5. **pasarás por** 'you will be regarded as.' See page 21, note 3.

Page **32.** — 1. **Pepe.** Being put before **lo** (instead of after
deseando), **Pepe** seems to be left suspended; it is necessarily
followed by a very slight pause and is to be stressed.

2. **No digas.** Supply **que no** or **nada.** The idea is that the
speaker rejects any contradiction or attempt at denial on the part
of the interlocutor. 'Don't contradict me.' Cf. page 6, note 8.

3. **la toman.** The feminine of a pronoun is often used to
indicate something indefinite. Some feminine noun may be
understood to explain the gender; **cosa** is frequently suggested.
Often we cannot know what noun (if any) is to be supplied.
See vocabulary under **tomar.**

Page **33.** — 1. **donde . . . tenga.** Equivalent to a relative
clause (**donde** = **en** + relative pronoun) requiring the subjunctive because **tener** (**tenga**) expresses not reality but an ideal
yet to be fulfilled.

2. **aguantaba.** See page 9, note 1. The sentence is ironical;
cualquiera, therefore, has the implication of *nobody.*

Page **34.** — 1. **Y aun piden las mujeres que os concedan.**
An abrupt change, natural in conversation, from the third
person to the second.

LOS INTERESES CREADOS

Hardly any of Benavente's plays has made a more favorable
impression than *Los intereses creados.* Not only were the first
performances enthusiastically received by the audiences, but

thev called forth highly flattering criticisms. Praise was
showered upon the author for his simplicity and idealism, for
the effective symbolism conveyed in the characters, and for
purity, clearness, and poetry of style. (See the first note, on
el tinglado de la antigua farsa, page 39, note 2.) So great
was the admiration that a banquet was given in honor of
Benavente. The first performance of the play was in the Teatro
Lara, situated on the Corredera Baja de San Pablo, considerably to the north of the Puerta del Sol; the Teatro Lara
is devoted to comedy and especially to short productions.

Literally translated, the title is 'Created Interests'; in the
course of the play Crispín explains the application of the term.

Los intereses creados is a product of enthusiasm. The author
is glad for once to turn away from modern themes and to indulge
in the freedom and gayety of the old Italian Comedy of Masks.
The masterly prologue explains to perfection the frame of mind
in which Benavente approaches the old farces, and it also shows
wherein he differs from his models.

Attempts to classify this play with other works of Benavente
are almost useless. It can be connected with its fellow productions only by virtue of fundamental qualities, such as clarity
of style, irony, character study, etc. It would be stretching a
point if we called attention to the nobility of Leandro's character
and to the happy ending in order to insert the play among those
that show a serious moral purpose. A more logical course
would be to attribute *Los intereses creados* to Benavente's love
of romance.

No explanatory or critical statements can rival the prologue.
Whatever critics may decide to call it, the characters live and
move, and offer amusement and food for thought to all classes
of persons.

Admirers of *Los intereses creados* may receive a shock when
they turn to the sequel, *La ciudad alegre y confiada,* in which a
tone of pessimism prevails. Crispín has risen to be the ruler of
the city that he had once entered as a servant, but in spite of
his magnificence, his life is not as joyous as of old. Leandro
is not happy as the son-in-law of Polichinela, nor even as the
husband of Silvia. The protagonist of the piece is El Desterrado,

a man once exiled by Crispín, but later permitted to return to the city. The play was greeted with enthusiasm, but it does not seem quite to reach the standard of its predecessor. The atmosphere is surcharged with impending disaster. In the prologue to *Los intereses creados* it is stated that the world has aged since the days of the old farces; we may go further and state that in *La ciudad alegre y confiada* the world of *Los intereses creados* has grown old.

Puppet performances go back to the Italian *commedia dell'arte* (Comedy of the Guild, Professional Comedy) which flourished especially in the sixteenth, seventeenth, and eighteenth centuries. The Italian plays were for the most part mere scenarios; the speeches were improvised by the actors. This kind of performance was peculiarly suited to the histrionic ability of the Italians, and to their genius for gestures. The *commedia dell'arte* was received with favor in many countries of Europe, and its influence was felt by some of the greatest authors. The modern Punch and Judy show is its direct descendant.

The characters in these old comedies are mostly fixed types with fixed masks and costumes, and often fixed names, that occur, with additions, omissions, and variations, in all the plays. Some of them — notably the braggart soldier, the crafty servant, the lovers, the deceived parents, and the intermediary — are traced through the Renaissance to the comedies of Plautus and Terence and to the New Comedy of Athens, nearly all of which is lost. Others have a later origin. Benavente has achieved remarkable success in preserving the conventional traits of his figures, and at the same time in investing them with modern qualities. The more important masks in *Los intereses creados* are listed below, with very brief notes designed to point out the usual characteristics of each, and, where necessary, certain modifications introduced by Benavente. It must not be forgotten that each character is carefully delineated both from the old and from the modern point of view.

THE CHARACTERS IN *LOS INTERESES CREADOS*

SIRENA — the elderly woman who lives by her wits and acts as a go-between in love affairs.

SILVIA — the typical heroine.

SEÑORA DE POLICHINELA (Punch's wife) — frequently at odds with her husband; rather a colorless figure in *Los intereses creados*.

COLOMBINA (Columbine, fixed name) — a fairy-like dancer, represented as wooed by Harlequin.

LEANDRO — the typical hero.

CRISPÍN — the crafty servant.

EL DOCTOR — the pompous, showy, corrupt man of the law.

POLICHINELA (Punch, fixed name) — one of the most prominent puppet characters, whose general qualities are hard to define; sometimes described as essentially ridiculous; very often represented as deformed and as a knave.

ARLEQUÍN (Harlequin, fixed name) — a graceful and acrobatic character, sometimes supposed to be invisible and a spirit of the air; Benavente makes him a poet.

EL CAPITÁN — the braggart soldier, considerably toned down in *Los intereses creados*.

PANTALÓN (Pantaloon, fixed name) — a silly old man (frequently a merchant) considered a butt of ridicule and fair game for all.

EL HOSTELERO (the Innkeeper) — generally an object of ridicule in all literature; not particularly connected with the *commedia dell'arte*.

EL SECRETARIO — a fit companion for the Doctor; not particularly connected with the *commedia dell'arte*.

Page 39. — 1. **primer término.** See the following diagram for this and other stage directions.

(The directions **derecha** and **izquierda** are given from the standpoint of the actors, not from that of the audience; they are feminine to agree with **mano,** understood.)

A — D: **proscenio** = front. (The part of the stage between its outer edge and the curtain.)

A — B: **primera derecha** = front, right.

B — C: **segunda derecha** = back, right.

D — E: **primera izquierda** = front, left.

E — F: **segunda izquierda** = back, left.

A — D — E — B: **primer término** = foreground.

C — F: **foro** = rear, back.

2. **el tinglado de la antigua farsa.**   In general, the language of *Los intereses creados* is modern; but by the use of well-chosen archaisms Benavente imparts to this play something of the spirit of the period in which the events are supposed to take place. The action of the piece is assigned to the beginning of the seventeenth century.

3. **el Puente Nuevo** *le Pont-Neuf* (literally 'the New Bridge'). One of the oldest and most famous bridges in Paris; for a long time the most frequented spot in the city.

4. **Tabarín.**   Assumed name of Jean Salomon (c. 1584–1633), a celebrated street actor who gave performances in Paris, thereby winning lasting fame and attracting the attention of famous French authors; the name is adopted as a type of farcical comedian.

5. **que.**   Used instead of **porque** to mean 'for' or 'because'; it occurs repeatedly in this sense in *Los intereses creados*, and is, in general, common in all sorts of language, particularly in poetry; but **porque** more strongly expresses the idea of cause, whereas this **que** expresses an additional fact without stressing that fact as a cause.

Page 40. — 1. **que.** See preceding note.

2. **Lope de Rueda.** A famous itinerant actor-manager and playwright of the middle of the sixteenth century; he is regarded as the founder of the modern Spanish theater.

Shakespeare. Linked with the old farces by such works as *A Midsummer Night's Dream.*

Molière. Influenced, particularly in his early plays, by the *commedia dell'arte.*

3. **guiñolesca.** An adjective formed from the Spanish **guiñol** derived from the French *guignol*, meaning 'Punch' or 'the theater of Punch.'

4. **comedia del Arte.** See page 118.

5. **italiano.** We should expect **italiana,** in agreement with **comedia**; either **italiano** is a misprint, or it is attracted by the gender of the masculine **Arte.**

6. **niñerías.** See page 7, note 3.

Page 41. — 1. **diga.** Subjunctive on account of the general command involved in the stage directions, which makes the relative clause indefinite.

2. **en . . . dado.** The vocabulary should be examined whenever **dar en** occurs. Not only does this idiom mean 'hit upon,' 'chance upon,' or 'strike,' but it may also signify 'take a notion to.'

3. **Picardía.** A noun of double meaning; as a common noun **picardía** denotes 'knavery' or 'roguery,' and as a proper noun **Picardía** is the name of an old province in Northern France centering in the valley of the Somme, and called Picardie (Picardy). In the thirteenth century there sprang up in Picardy a sect of heretics who became known as *les picards*, which came to mean 'rogues,' 'oath-breakers,' etc. François Villon alludes to them, and they were widely known.

4. **asiento.** Another play on words, for **asiento** means 'seat' or 'bench'; hence the reference to the hardness of a seat in the galleys; **hacer asiento** is 'make a stop' or 'halt'; the pun is scarcely translatable.

Page 42. — 1. **que, malvendiéndolos** (freely translated) 'when, by selling them (even) at a loss.' Here **que** may be taken as a relative pronoun, direct object of **malvendiendo**; in this case **los** repeats **que.** Or we may assume that **que** is a

relative pronoun having no grammatical connection with what
follows (*i.e.* the phenomenon known as anacolouthon). This **que**
might also be considered a conjunction introducing an additional
statement that amounts to an objection ('but,' 'for,' 'when').
In any case the general meaning of the sentence is clear.

2. **desabrido.** See page 11, note 4.

3. **Somos los hombres** 'We men are'; see page 31, note 4.

4. **así.** Used as a conjunction; see vocabulary.

Page 44. — 1. **Que ella . . . sea.** 'May it be.' A modified
imperative expressing a wish. Cf. page 3, note 2.

2. **llamasteis.** As the modern form would be either **llamaste**
or **llamó** (according to whether the speaker uses **tú** or **usted**),
llamasteis is an archaism and properly corresponds to the archaic
form of address **vos.** Here living Spanish requires (**usted**)
llamó, or (**tú**) **llamaste,** if the speaker may appropriately use **tú.**
Vos is confined to poetic style, and to solemn addresses, for
instance, to God, to royalty, or to high dignitaries, etc.

Everywhere in *Los intereses creados* we find **vos** instead of
usted and, consequently, **vuestro** etc. instead of **su** or **de usted.**
With **vos** the verb must of course be in the true second person
plural (*e.g.* **llamáis**). See the note on **la antigua farsa,** page 39,
note 2. See Bello-Cuervo, §§ 234, 235.

3. **fué** is intentionally archaic and is used for emphasis. See
page 8, note 1.

4. **llamáis.** See note 2 (just above).

5. **se.** The reflexive makes **estar** connote stopping or delaying
or standing.

Page 45. — 1. **que.** This **que** is elliptical. A natural English rendering is made possible if we use 'or.'

2. **a lo que.** See page 10, note 3.

Page 46. — 1. **soy con vosotros** 'I'll attend to you presently.'
A special locution; for, in general, we should expect **estoy;** but
for this meaning **soy** is the correct living form. This phrase
has usually a future sense. Here, the exact time expressed by
soy may be present and may be future. This idiom must not
be confused with **estar con** denoting locality.

2. **¡ Buena la hicisteis !** (Ironically) 'That's a fine thing
you've done!' For the feminine, see page 32, note 3.

3. **Ordenanzas.** Ordinances or police regulations that required (and still require) Spanish innkeepers to report to the authorities within twenty-four hours of the arrival of a guest, his name, the place from which he comes, his business, and other details. A satisfactory statement of the law is to be found in the *Novísima recopilación, Lib. III, Tit. XIX, Ley XXVII*, 4. The *Novísima recopilación* is published in fairly convenient form in Alcubilla's *Códigos antiguos de España* (page 1011). Of course the date assigned to the action of *Los intereses creados* is anterior to 1805, the year of the formulation of the code just mentioned; but the legal requirement was approximately the same in the earlier time.

4. **¡Veníos!** The reflexive with intransitive verbs of motion is borrowed from a similar construction with transitive verbs (*e.g.* **moverse, arrojarse,** etc.) and does not appreciably change the meaning of the verb; it is probably to be regarded as a mere sign of spontaneity. See Bello-Cuervo, note 102.

Page 47. — 1. **Aretino.** Pietro Aretino (1492–1566), the most notorious literary blackmailer of the Italian Renaissance; also an author of ability. He was born in Arezzo (whence Aretino), but is more closely associated with Venice.

Page 48. — 1. **¡Pobres de ellos . . . !** "When adjectives are used as interjections before personal pronouns **de** is interposed." Ramsey, § 1431. Translate 'Woe to them . . . !' Cf. page 15, note 2.

2. **por melancólico.** Supply **ser** and translate 'because it is sad.'

3. **¿Sois vosotros?** In English the verb is in the third person singular: 'Is it you?'

Page 49. — 1. **hagan merced.** An archaism corresponding to the modern **hagan (ustedes) el favor.**

2. **tengo dedicado. Tener** and **llevar** are sometimes used instead of **haber** with the past participle, after the manner of auxiliaries; but they are not true auxiliaries, because the participle is treated as an adjective and therefore agrees with the object in gender and number. **Tener** really denotes possession and is more emphatic than **haber.**

3. **he menester.** This expression, with **haber** as principal

verb, is not unknown even in modern prose. In general, however, the use of **haber** as an independent verb is archaic.

Page 50. — 1. **¡ No miraré nada!** 'I shall not stop at anything!' Cf. page 22, note 2.

2. **ha (más de un mes).** In this sense **hace** is much more common than **ha** in modern Spanish.

3. **un.** Very commonly used for **una** before a feminine word beginning with stressed **a** or **ha;** for this apocopation see Bello-Cuervo, § 156.

Page 51. — 1. **mírese.** Cf. page 22, note 2; the reflexive adds nothing that can be rendered into English; it is scarcely more than an ethical dative.

2. **¿ Cómo conocidos?** 'How known?' 'What do you mean by known?' An elliptical expression, not impossible in colloquial English.

3. **Olvidados los tengo.** Note agreement of **olvidados** with **los** and see page 49, note 2.

Page 52. — 1. **vos.** The conventional form of address; see page 44, note 2.

2. **¿ Cómo si sabemos?** 'What do you mean by asking if we know?' See page 51, note 2.

3. **vosotros . . . vos.** An illustration of the distinction between the two pronouns; **vosotros,** the real plural, refers to the company attacking, while **vos,** the artificial plural, refers to the captain; for the singular form **espada,** see page 4, note 3.

4. **hará que se os trate** 'he will have you treated.' **Hacer** followed by **que** and the subjunctive, meaning literally 'make that,' 'bring it about that,' is translated like **hacer** with the infinitive; **que** is suppressed.

Page 53. — 1. **No he librado de mala** 'I've had a narrow escape.' **Librarse de buena** means 'escape from danger.' The omission of the reflexive makes the expression briefer and more forceful. For the feminine **mala** (originally followed, perhaps, by **ventura**), see page 32, note 3.

2. **Agradeceros.** Supply some verb such as **puedo** before the infinitive; the construction is permissible in English in certain cases; it makes it appear that the infinitive replaces the indicative. The statement thereby seems less personal.

Page 55. — 1. **hay para.** See vocabulary under **haber (hay).**

2. **¡ Que una dama se vea!** 'To think that a lady should see herself !' Another elliptical sentence dependent upon some such expression as **es posible.**

Page 56. — 1. **hasta emplearlo yo** 'until I employed him.' Note that **emplear** is governed by **hasta** and that **yo** is its subject.

2. **Triste de.** See page 48, note 1.

3. **ser llegado.** A relic of the auxiliary **ser** with intransitive verbs of motion. This construction is common in Old Spanish, rare in Cervantes, and almost non-existent now. A few survivals occur even in prose, and of such survivals **es llegado** is perhaps the most common. See Bello-Cuervo, § 1119.

4. **no sería** 'could not have been.' Conditional of probability in the past.

5. **la doña Sirena de mis veinte** 'the doña Sirena that I was at the age of twenty.' **Años** must be supplied, as is clear from the succeeding speeches. Colombina pretends to suppose that some other word (*e.g.* **amantes**) might be intended.

Page 57. — 1. **creyera.** Imperfect subjunctive, substituted occasionally for the pluperfect when negation is strong.

Page 59. — 1. **Con ser tal.** Equivalent to 'although' and a dependent clause. With the infinitive **con** denotes means, cause, condition, or concession. In translating we use sometimes the present participle, and sometimes a dependent clause.

2. **no anduviera** 'would not be.' When substituted for **ser, andar** usually implies continuance or permanence, and strengthens the statement.

3. **a no fiar tanto** 'if he did not rely so much.' **A** + infinitive is commonly equivalent to a conditional clause.

Page 60. — 1. **Ya me iréis conociendo** 'you will learn to know me gradually.' See page 7, note 2.

Page 61. — 1. **con ser** 'being.' See page 59, note 1.

2. **¡ Si así fuera siempre!** 'If it were only always thus!' — a wish that cannot be realized.

Page 62. — 1. **referidos** 'if told,' 'if they were told.' See page 3, note 6.

Page 64. — 1. **se entró.** For the reflexive see page 46, note 4.

Page 65. — 1. **anduvimos.** See page 59, note 2.

Page 66. — 1. **Ya se me tarda en verle.** This idiom has a very archaic flavor. See vocabulary, under **tardar.**

2. **vendríais.** An unusual construction; the subjunctive is the normal form after **temer.** It would appear that in this instance the verb has lost its emotional character, and has become almost equal to a verb of believing. The Dictionary of the Spanish Academy admits **sospechar** ('suspect') as a secondary meaning of **temer.**

3. **cómo vengo de sofocada** 'how out of breath I come.' The use of **cómo** causes the insertion of **de.**

4. **con que.** See page 3, note 1.

Page 68. — 1. **habéis.** This is a real plural, referring to Silvia and Leandro. **Que** may be taken as a conjunction meaning 'so that' or 'for.' If we consider **que** a relative pronoun, there is no proper antecedent for it; such a construction, however, would not be impossible in conversation.

2. **jorobas.** Punch is usually represented as a hunchback.

3. **por esos mares** (freely translated) 'on the high seas.' **Ese** at times assumes a peculiar meaning that defies literal translation. It refers in a vague way to something on a large scale familiar to everybody, but particularly familiar to the person addressed. Note the expression **por esas calles de Dios** and the name of the periodical **Por esos mundos.**

Page 69. — 1. **haciéndole que mire** 'making him look.' See page 52, note 4.

Page 70. — 1. **llevo remado.** Note the use of **llevar** as an auxiliary. See page 49, note 2.

Page 71. — 1. **lo que me hago.** Ethical dative. See page 15, note 1.

Page 72. — 1. **no me importó menos perderme** 'I cared less about being lost,' 'I didn't even mind being lost.' The preceding clause is in itself negative; **menos** makes the succeeding negative even stronger. Cf. the English 'I don't know and care less.'

2. **algo que fuera.** Subjunctive in a relative clause with an indefinite antecedent.

Page 74. — 1. **que** 'until.' A conversational use of **que** for the full **a que** (*i.e.* **hasta que**).

Page 75. — 1. **sigo.** This verb frequently means 'follow,' but when used with the present participle, it should be translated 'continue' or 'go on.' In this use it emphasizes, even more strongly than **ir,** continuity of action.

Page 76. — 1. **decirme.** See page 53, note 2.

Page 79. — 1. **como.** Note the use of **como** with the subjunctive in a conditional sense; see vocabulary.

Page 80. — 1. **hayas.** Archaically and poetically used for **tengas.** See page 49, note 3.

2. **Decidme lo que sea.** 'Tell me what has become.' The subjunctive is due to the indefiniteness of the relative clause (cf. English 'what may have become'), because Colombina is uncertain as to Leandro's fate. When followed by **de** the verb **ser** often takes the meaning 'become of.'

Page 83. — 1. **todo lo enamorado y lo fiel y lo noble que tú quieras y ella pueda desear** 'just as much in love and just as faithful and noble as you like and she can desire.' **Lo** is used idiomatically before an adjective followed by a clause with **que;** the adjective agrees with a following noun or pronoun. The usual translation ('how') is impossible here. **Todo** intensifies **lo.** For examples see Ramsey, § 1358.

Page 84. — 1. **me acusó más de torpe.** If, after **de,** we supply **ser,** the sentence becomes clear.

Page 85. — 1. **¿Piensas . . . son para olvidarlas?** 'Do you think that the deeds of Mantua and Florence are (of a nature) to be forgotten?' Note that Spanish has the active infinitive (literally 'to forget them') where the passive is used in English. **Las** is superfluous in translation.

2. **Bolonia.** The Italian city of Bologna, especially famous as a center of legal studies.

3. **considerandos . . . resultandos.** Typical terms in legal documents (cf. the Doctor's speech, page 104, lines 1–7). Crispín, making fun of lawyers' language, uses the words as substantives and in the plural.

Page 89. — 1. **haceos del doliente.** An archaism; the modern idiom is **hacerse el doliente.**

2. **sabré.** Supply **hacer.**

Page 93. — 1. **summum jus, summa injuria.** A Latin saying found in Cicero, *De Offieiis*, 1, 10, 33, where it is quoted as proverbial. It means literally "extreme law (justice) is extreme injustice," and refers to cases where law is rigorously applied without regard to equity or to circumstances. As Cicero puts it (in *De Officiis*, just before the proverb quoted): "Injuries often exist through a certain chicanery and an over-adroit but malicious interpretation of the law." A similar phrase is found in Terence, *Heauton Timoroumenos*, vs. 796: *jus summum saepe summa est malitia.*

2. **Barbara, Celare, Dario, Ferioque, Baralipton.** Terms invented by medieval scholastic logicians to help in remembering the various forms (technically, moods) of syllogisms. The words in themselves are meaningless. Their vowels represent different types of logical propositions. This jargon (possibly familiar to a few university graduates) is put in the Doctor's mouth for humorous effect; he is depicted as fond of displaying learning. A similar legal speech occurs in *le Bourgeois gentil-homme* by Molière, Act 2, Scene 6.

Page 94. — 1. ¡ **Ésta es buena !** 'That's a good one!' As to this feminine see page 32, note 3.

2. **las doce tablas.** The twelve tables constituting the first written compilation of Roman Law, said by Livy and others to have been prepared in two sections (first ten tables, then two) in the fifth century B. C. (452 and later) by a decemvirate of which the principal member was Appius Claudius.

3. **Justiniano.** Justinian (483–565) the best known of the rulers of the Eastern Roman Empire; he ordered the compilation of the great code *corpus juris civilis* ('body of the civil law').

Triboniano. Tribonian, a famous jurist, minister under Justinian and one of the leading compilers of the *corpus juris civilis.*

Emiliano y Triberiano. These names are used humorously. Benavente may have invented them, or he may have meant them as mistaken references of the Doctor to eminent jurists. Thus Emiliano might be Aemilius Papinianus, a Roman jurist who lived about 200 A.D., while Triberiano might relate to the *senatusconsultum Trebellianum,* ascribed to Trebellius Maximus, a consul in Rome under Nero.

Page 97. — 1. **Quedaron suspensos** . . . This speech, which may or may not be taken as incomplete, seems to refer to the accusers of Crispín and Leandro, and to mean 'They are taken aback.' It might also refer to the suspension of court proceedings. For the preterit, see page 8, note 1.

Page 98. — 1. **Ved.** A slight change has to be made in the translation, as is sometimes the case when **ver** is semi-exclamatory; translate 'look out' or 'be careful about'; cf. the English 'see to.'

2. **hayáis.** See page 80, note 1.

Page 100. — 1. **talión.** A word existing also in English; it comes from the Latin *talio* and means 'retaliation,' or more precisely a penalty that consists in making a guilty man suffer the same injury that he caused.

2. **Equitas justicia magna est.** The Latin form of the Spanish sentence immediately preceding.

3. **las Pandectas** 'the Pandects.' The name given to the compendium or digest, the most important part of the *corpus juris civilis*, compiled by Justinian's orders.

4. **Triboniano con Emiliano Triboniano.** The Doctor does not seem particularly clear in his references. He is, however, true to his dictatorial and showy character; see page 94, note 3.

Page 104. — 1. ¿ **De ley?** — **Oro de ley** is gold approved by law and therefore standard; cf. 'legal tender.' Crispín makes a joke by assuming knowledge of such a thing in a man versed in the law.

Attention is called to the following remarks

1. The vocabulary is meant to give English equivalents of words and locutions as found in this book, and its scope is therefore limited. Only meanings actually encountered in the text are given except when the definition illustrates a rare or perplexing usage from which the student might be led to infer a general usage.

2. The aim has been to combine clearness and consistency, but when a choice between them has been necessary clearness has been preferred. Thus, if two or more parts of speech are represented by the same word, they are sometimes noted separately, and sometimes put under one heading.

3. When a word found in the text is used both as an adjective and as a substantive the meanings are placed under one heading (the adjective) if the English translation can be made by adding such a word as 'man' or 'person' to the adjective. Otherwise separate headings are allotted. If the word occurs only in the substantive sense, though ordinarily employed in Spanish as a well-known adjective, both meanings are stated.

4. Where abstract nouns are used in the plural an effort has been made to indicate possible translations both in the singular and in the plural if the literal translation does not admit a plural in English.

5. If the same word is used as an adjective and as an adverb separate entries are generally made. But in the case of such words as **más, mucho, poco, tanto** and **todo** the meanings are grouped under one heading, because the distinction between the parts of speech in idiomatic phrases is at best a shadowy one, and because the list of idioms is lengthy.

6. Proper nouns are translated only when the same or similar names exist in English.

7. The language to which a foreign word belongs is indicated by an abbreviation unless a reference to the notes follows.

8. References to the notes are limited to certain stage directions and to cases where for special reasons the meaning is not given in the vocabulary.

9. Reflexive verbs are treated variously. If a verb occurs both in its simple and in its reflexive form the translation of the simple form alone is given if the reflexive can be rendered by the English reflexive or by the passive. Otherwise both forms are translated. If a verb occurs only in the reflexive the simple form is not indicated unless it is essential to comprehension of the real meaning or to the avoidance of misunderstanding.

10. Idioms and phrases of various kinds are grouped in alphabetical order varied only in a few cases where one expression seems to belong naturally near another. Under verbs, forms containing the simple infinitive are given first; then come forms with the infinitive and reflexive, and last those where the verb is conjugated.

11. Wherever the word 'to' is merely 'a sign of the infinitive,' it is omitted.

VOCABULARY

A

a to, at, after, by, on, upon, according to, in, for, with, from; *not translated before personal direct object;* — **no fiar tanto** if he did not rely so much; **al** + *inf.* = in, on, upon, while, *etc.* + *pres. part.* or a *dependent clause with finite verb;* **al pasar** in passing, when you pass; *for meanings of numerous phrases and expressions containing* **a,** *see Notes and other headings in this vocabulary*

abatido, –a dejected, downcast

abatimiento *m.* dejection

abdicación *f.* renunciation

abierto, –a (*from* **abrir**) open; **—a** opening into; — **de par en par** wide open

ablandarse be softened, relent

abrazado, –a embracing; *see* **abrazar**

abrazar embrace; *see* **abrazado**

abrir open

abstenerse de refrain from

abstuviera *see* **abstener**

abuelo *m.* grandfather

abusar abuse; — **de** abuse, presume upon

acabar end, finish; — **por** end by; **acabo de** + *inf.* I have just . . .

Academia *f.* Academy

acampar take quarters, take lodgings

acariciar caress

acaso perhaps; **si** — well, perhaps

acción *f.* action

acepción *f.* acceptation, opinion, belief

aceptable acceptable

aceptar accept

acerca de about, concerning

acercarse approach

acertado, –a right, correct, proper; **andar** — be right; *see* **acertar**

acertar hit the mark, succeed; *see* **acertado**

aciago, –a melancholy, sad

aclarar make clear

acobardarse become frightened, flinch

acoger receive; **—se a** resort to

acomodarse a adapt oneself to, put up with

acompañamiento *m.* retinue

acompañar accompany, go with

aconsejar advise

acordarse (de) remember

acostaos (**acostad** + **os**)

acostarse lie down, go to bed

acostumbrar be accustomed; **—se** accustom oneself, become accustomed

acreditar accredit, prove

actitud *f.* attitude

acto *m.* act

actor *m.* actor

actuación *f.* operation, proceeding

actual actual, present

actualmente actually, at present

acudir come; — **a** come to, repair to, attend, have recourse to, resort to

acuerdo *m.* agreement; **de — con** in agreement *or* accordance with; **estar de —** be agreed, agree; **ponerse de —** come to an agreement

acusar (**de**) accuse (of); **— de + *adj.*** accuse (*someone*) of being

adaptar adapt

adecuado, –a suited

adelantado, –a advanced; **por — in** advance

adelante ahead, forward, onward; ¡—! come in! **más —** further on, later; **salir — get** out, emerge, escape; **seguir —** go ahead, advance

ademán *m.* gesture, manner

además besides

adeudado, –a indebted, owed; **todo lo —** all that is due

adiestrar train

admirable admirable

admirablemente admirably

admiración *f.* admiration; **admiraciones** admiration, admiring remarks

admirar admire, wonder at

admitir admit, allow

Adonis *m.* Adonis (*according to classical mythology, a beautiful youth; used as a type of masculine beauty*)

adoptar adopt

adoptivo, –a adoptive, adopted

adorable adorable

adorar adore, worship

adquieren *see* **adquirir**

adquirir acquire, gain, secure

aduana *f.* customhouse

advertencia *f.* notice, warning

advertir notify, give notice, warn

advierta *see* **advertir**

adviert–o, –e *see* **advertir**

afán *m.* anxiety, eagerness; **tener tanto —** be so eager

afectísimo, –a most affectionate, very affectionate, most sincere

afecto *m.* affection, feeling

aficionarse de become fond of

afirmar affirm, declare; **—se** hold fast, take a firm hold

afortunadamente fortunately

afrentoso, –a ignominious

agasajar entertain

agasajo *m.* entertainment

agradecer be grateful *or* thankful for, thank, thank for

agradezcan *see* **agradecer**

agrado *m.* agreeableness, pleasure

agravio *m.* offense, insult, wrong

agrisado, –a grayish

agua *f.* water; **tomar las —s** take the waters

aguantar endure, stand, put up with

aguardar await, wait for

agudeza *f.* sharpness, wittiness

aguileño, –a aquiline

¡ah! ah! oh! ¡ — de la hostería! ¡ — de la gente! *etc.* hallo there, hotel! hallo there, people! *etc.*

ahí there, here; de — from there, from that situation

ahora now, presently; de — of the present (*moment*); hasta — till now; we'll see you again presently; — mismo this very minute

ahorrar save, spare

airado, –a angry, furious; mano airada assault and battery

aire *m.* air, demeanor; darse —s put on airs

ajustar adjust, regulate

ala *f.* wing

alabanza *f.* praise, eulogy; propia — self-praise

alargar lengthen, extend; —se be prolonged; —se en palabras say *or* talk too much

alargues *see* alargar

alarmar alarm

albergar lodge, shelter

alboroto *m.* disturbance, excitement, tumult

alcance *m.* reach; al — de in *or* within reach of

aldabón *m.* large knocker, knocker (*of a door*)

aldeano, –a belonging to a village, rustic

alegrarse rejoice, be glad; ¡cuánto me alegro! how glad I am!

alegre gay, happy, joyous

alegría *f.* joy, gayety

algo something, anything; somewhat; — de some, a

certain amount of; en — to some extent; cobrarle a uno en — collect something from somebody; para — for some purpose; por — for some reason

alguacil *m.* constable

alguacilillo *m.* (*dim. of* alguacil) little constable, petty constable

alguien somebody, someone

algún, alguno, –a some, any; alguna vez occasionally, now and then; algunas veces sometimes; — *pron.* some, someone

aliado *m.* ally

alimentar feed, nourish, support

aliviar relieve

alma *f.* soul, heart

almuerzo *m.* breakfast, lunch (*first substantial meal of the day*)

alondra *f.* lark

alrededor around, about; a vuestro — around you

alterado, –a disturbed, wrought up; *see* alterar

alterar alter, change; —se be stirred up, be disturbed; *see* alterado

altísimo, –a most lofty, very lofty

altivo, –a lofty, noble

alto, –a high, tall, eminent, upper; en — on high

¡alto! halt!

altura *f.* height

alumno *m.* pupil, student

allegado *m.* friend, ally

allegado, –a related; muy — closely related

allí there

amable amiable, sweet, kind

amanecer dawn; **al —** at dawn

amante *m.* lover

amante loving

amantísimo, -a most loving, most affectionate

amar love

amargura *f.* bitterness

ambición *f.* ambition

ambicioso, -a ambitious

amenazar threaten; **— con +** *inf.* threaten to

ameno, -a pleasing, delightful

amenudo often

amiga *f.* friend

amigo *m.* friend

amigote *m.* (*aug. of* **amigo**) dear friend, fine friend (*ironical*)

amistad *f.* friendship; **músicos y poetas de mi —** musicians and poets of my acquaintance

amistosamente in a friendly manner

amo *m.* master

amoldarse a shape oneself to, conform to

amor love; **—es** love affairs, love; **— propio** self-love, self-esteem

amoroso, -a loving, affectionate, gentle

ampararse de shelter oneself in, take refuge in

amparo *m.* protection

amplio, -a ample, broad

ancho, -a broad

andanza *f.* event; **tristes —s** bad fortune

andar go, walk, move; be; **— acertado** be right; **— discreto** be considerate; **no — con rodeos** be too outspoken, take too many liberties

andrajo *m.* rag, tatter

anduviera *see* **andar**

anduvimos *see* **andar**

angustia *f.* anguish, affliction

angustioso, -a tormenting, distressing

animal *m.* animal

animarse become animated *or* enlivened

animus (*Lat.*) spirit; **— belli** war-like spirit

aniñar make childish

anoche last night

ante before; **— todo** before all, above all

antecámara *f.* anteroom

antes *adv.* first, before, formerly, rather; **— que** rather than; **— que todo** first of all, above all; **— de** *prep.* before; **— (de) que** *conj.* before

anticipar anticipate; **—se a** anticipate, forestall

Anticristo *m.* Antichrist

antiguo, -a ancient, old, former; **de —** of old

antipático, -a disagreeable, unpleasant, repellent

antitético, -a antithetical, opposed

antítesis *f.* antithesis, contrast

antojarse take it into one's head, take a notion to; **a nuestros padres se les antoja** our fathers take it into their heads

antología *f.* anthology

antorcha *f.* torch

anuncio *m.* announcement, advertisement

año *m.* year; **a los catorce —s** at the age of fourteen years

apagar extinguish, allow to die away

aparecer appear

aparición *f.* appearance

aparte aside; **— de** aside from

apasionarse become impassioned *or* excited; **— por** become impassioned at, be enthusiastic about

apedrear stone, throw stones at

apenas *adv.* hardly, scarcely; *conj.* scarcely, as soon as

aplazamiento *m.* postponement

apocado, –a low-spirited, discouraged

Apocalipsis *m.* Apocalypse

apogeo *m.* (greatest) height

aposento *m.* room, apartment

apreciar appreciate, esteem, value

apremiar press

aprender learn

apresurarse hurry, make haste, hasten

aprovechar profit by; **—se de** take advantage of, profit by

aptitud *f.* aptitude, quality

apto, –a apt, fit, suited

apuesto, –a elegant, spruce

apurar exhaust

apuro *m.* want, trouble, affliction

aquel, –la that, former

aqu–él, –élla, –ello that one, the one, the former, that

aquí here; **por —** over here, this way; **he —** behold, here is

aquilatar examine, weigh

arboleda *f.* grove

arcaico, –a archaic

Aretino *m. see page* 47, *note* 1

Arlequín *m.* Harlequin *see page* 119

arma *f.* arm, weapon; **dar —s a** give arms to, give a handle to, play into the hands of

armado, –a armed; **a mano armada** with arms, with violence

aroma *m.* perfume

arrastrar drag; **—se** crawl

arreglar arrange

arreglo *m.* arrangement

arriba above, upstairs; **hacia —** upward; **los de —** those above; **para —** and upward

arriesgar risk, venture

arrojar throw

arruinar ruin

arte *m.* (*pl. f.*) art, artistry, skill; **comedia del Arte** *see page* 118

artificio *m.* workmanship, craft, artifice, pretense; **fuegos de —** fireworks

asado *m.* roast

asaltar assault; **— a mano armada** assault with arms, commit assault and battery upon

asegurar assure, assert, affirm; **—se** make sure; **—se de** assure oneself of, make sure of

asesinar murder, commit murder

asesino *m.* assassin, murderer

así *adv.* so, thus, of such a nature; *conj.* even if; **un vestido** — such a dress; — **como** just like

asiento *m.* seat, bench, stop; **hacer** — make a stop *or* halt

asistir a attend, be present at, witness

aspiración *f.* aspiration, ambition

aspirar aspire

astucia *f.* cunning

asunto *m.* matter, subject, affair, thing; — **concluido** the matter is settled

asustar frighten, startle

atajar intercept, stop

atavío *m.* adornment, finery

atención *f.* attention; **llamar la** — attract attention; **llamar más la** — attract greater attention

atender a attend to, serve, heed

atenerse a abide by, stick to, depend upon

atento, –a attentive, courteous, polite

atractivo *m.* attraction, charm

atraer attract

atrapar catch

atreverse dare, venture; — **a mucho** dare (*to do*) a great deal; — **a tanto** dare (*to do*) so much, venture upon so much; — **contra** dare to oppose; *see* **atrevido**

atrevido, –a bold, daring; *see* **atreverse**

atrevimiento *m.* boldness, daring, audacity

atributo *m.* attribute

atropellar trample upon, do violence to

atropello *m.* abuse, violence; *see* **atropellar**

audaz bold

audiencia *f.* audience, hearing

auditorio *m.* audience

aumentar increase, grow

aumento *m.* increase

aun *or* **aún** yet, still, even, still more

aunque although, even if

aurora *f.* dawn

ausencia *f.* absence

ausentarse absent oneself, go away

automóvil *m.* automobile

autor *m.* author

autoridad *f.* authority

auxilio *m.* help, aid

avance *see* **avanzar**

avanzar advance, proceed, go ahead

avariento, –a miserly; ¡**viejo** —! old miser!

avaro, –a avaricious, niggardly; **un viejo** — an old miser

avenencia *f.* agreement, compromise

aventajar surpass

aventura *f.* adventure

aventurero *m.* adventurer

avergonzarse de be ashamed of, blush for

averiguar investigate, find out

avestruz *m.* ostrich

avisar inform, notify

aviso *m.* notice, warning

avispar rouse, spur; **se va avispando** he is becoming lively *or* clever

¡**ay**! oh! alas!

aya *f.* governess

ayer yesterday; — **por la tarde** yesterday afternoon

azaroso, –a hazardous, dangerous

azul blue

B

bagaje *m.* baggage

¡ bah ! bah! pshaw!

bailar dance

bailarín *m.* dancer

baile *m.* dance, ball

bajar go down, come down, descend; lower; go toward the front of the stage

bajeza *f.* meanness, vileness

bajito, –a (*dim. of* **bajo**) short

bajo, –a low, despicable, vile

bajo *adv.* meanly, humbly; *prep.* under

balbuceo *m.* stammering, stuttering; **fingir** —**s** pretend to stammer (*as if speaking like a child*)

balcón *m.* balcony

balumba *f.* heap, pile, bulk

banda *f.* sash, scarf

bandido *m.* bandit

bandolero *m.* highwayman

Baralipton *see page* 93, *note* 2

barato, –a cheap

barba *f.* beard

Barbara *see page* 93, *note* 2

bárbaro, –a barbarous barbaric

barbilindo *m.* well-shaved, well-groomed *or* effeminate man, milksop

base *f.* basis, foundation

bastante enough, sufficiently, very, much; **lo** — enough, sufficiently

bastar suffice, be enough; —**le a uno con** be satisfied to; **me basta con** I'm satisfied to; **¡ basta!** enough ! **¡ basta de !** enough of! —**se** be sufficient unto oneself

batalla *f.* battle; **dar la** — start the battle *or* struggle, cast the die

beber drink

bellaco *m.* rogue, swindler

bellacón *m.* (*aug. of* **bellaco**) big rogue, scoundrel

belleza *f.* beauty

belli (*Lat.*) of war; **animus** — war-like spirit

bello, –a beautiful

bergante *m.* ruffian

besar kiss

Biblia *f.* Bible

bien *m.* good, welfare; —**es** property, wealth

bien *adv.* well; — **os está por** you're in a fine fix for; **más** — rather

blanca *f.* mite (*name of old copper coin*); **estar sin** — be penniless; **sin soltar** — without spending *or* paying a cent

blanco, –a white; **poner lo** — **negro** make white seem black

blasfemia *f.* blasphemy

bobo *m.* fool

boceto *m.* sketch

boda *f.* wedding, marriage; —**s** nuptials, wedding, marriage

Bolonia *f.* Bologna

bombarda *f.* bombard (*an ancient piece of artillery*)

bondad *f.* goodness, kindness

bondadoso, –a kind, generous

bonito, –a pretty, attractive, fine

borrar strike out, blot out, erase; lo borrado what is blotted out

borrón m. blot

botarate m. madcap, booby

botella f. bottle

bravo, –a brave, severe, rude, forceful; acogerse a lo — resort to force or violence

brazo m. arm

breve brief, short

bribón m. rogue, rascal

brillante brilliant

broma f. joke; echarlo a — make a joke of it

buen(o), –a good, kind; de buenas a primeras suddenly; ¡buena la hicisteis! that's a fine thing you've done! ¡ésta es buena! that's a good one!

¡bum! ¡bum! ¡bum! boom! boom! boom! (imitation of sound of artillery)

burla f. scoffing, mockery, jest, joke, fun; de — in jest, in fun; estar para —s be in a mood for jokes

burlar outwit, evade; —se make fun; —se de make fun of

burlón, –ona mocking, mischievous

busca f. search, pursuit; en — de in search of; en — nuestra in search of us

buscar look for, seek; ir a — go to seek, go for

busquemos see buscar

C

cabalgadura f. mount, beast

caballero m. gentleman, nobleman, sir

cabeza f. head

cabizbajo, –a with bowed head, crestfallen

cabo m. end; llevar a — carry out, complete, fulfil

cada each, every; de — parte, on each side; — uno each one, every one

cadena f. chain

caer fall; — en fall into; — sobre fall upon, chance upon

café m. café

calidad f. quality, position, rank; dama de — lady of distinction, distinguished lady; persona de — person of distinction

calma f. calm, calmness

calumniar calumniate, slander

callar be silent, become silent, keep silent

calle f. street

cambiar change, exchange

cambio m. change, exchange; casa de — money exchange; en — on the other hand

camino m. road, highroad, way; de — on the way, in the course of events; la fruta del — the fruit on the wayside; llevar mejor — follow a better course

camisero m. haberdasher, men's clothier

campo m. field, country; field (of political activity); Campos Negros Black Fields (name of an imaginary place) canción *f.* song

cansancio *m.* weariness, fatigue

cansar weary, tire; —se get tired

cantar sing

cantor *m.* singer

capaz capable

capitán *m.* captain

capítulo *m.* chapter, article, heading

capricho *m.* caprice, fancy, whim

caprichoso, -a capricious, whimsical, changeable

cara *f.* face; mirarte a la — look at your face

¡caracoles! hallo! is that so!

carácter *m.* character, quality

carecer de lack, be without

cargado, -a charged, weighed down, full

cargo *m.* burden, load; charge, duty; a — de in the hands of; a tu — in your charge *or* hands; a mi — corre it is my affair *or* duty

caricatura *f.* caricature

cariño *m.* affection, love

cariñoso, -a affectionate

Carlos *m.* Charles

carne *f.* meat; — de horca, gallows bird

carnero *m.* sheep, mutton

caro, -a dear, expensive, costly

caro *adv.* dearly, at a high price

carrera *f.* career

carro *m.* cart, car

carroza *f.* carriage, coach

carta *f.* letter; — de crédito letter of credit, credential; por — by letter

cartera *f.* (*ministerial*) portfolio

cartón *m.* pasteboard, cardboard

casa *f.* house, home; — de cambio money exchange; — de misericordia almshouse; a — de to the house *or* home of; en — at home

casadero, -a marriageable

casar marry off, unite in marriage, marry; —se con marry; ¡a casaros! get married!

casi almost

casita *f.* (*dim. of* casa) small house, cottage

caso *m.* case, matter, fact, circumstance, situation; el — es que the fact is that; en ese — in that case; en este — in this case; para el — under the circumstances; creerse en el — de think oneself called upon to; hacer — care; hacer — a pay attention to (*a person*)

castellano, -a Castilian, Spanish

castigar punish

castigo *m.* punishment

castigu-e, -éis *see* castigar

castillo *m.* castle

casualidad *f.* chance, accident; da la — it happens by chance, chance has it

catorce fourteen; a los — años at the age of fourteen years

caución *f.* surety, security

caudal *m.* fortune, wealth, property, treasure, stock, supply

causa *f.* cause, reason; por mi — on my account; hacer —

con make common cause
with, join
causar cause
cayó *see* **caer**
ceder yield, give up
cédula *f.* slip of paper, paper
Celare *see page* 93, *note* 2
celebrar celebrate
celo *m.* zeal, ardor
cena *f.* supper
Cenicienta *f.* Cinderella
centro *m.* center
ceñudo, –a frowning
cerrar close, shut
cielo *m.* sky, heaven, heavens
ciencia *f.* science
cierto, –a certain, sure, true;
por — certainly; ¿conque
era —? so it was true? ¡no
es —! it isn't so! un—a certain
cierto *adv.* certainly
cigarro *m.* cigarette
cinco five
cincuenta fifty
cinematógrafo *m.* moving-
picture show
circulación *f.* circulation
circunstancia *f.* circumstance
ciudad *f.* city
clamar cry out
clamor *m.* outcry
claramente clearly
clarín *m.* clarion, bugle
claro, –a clear, bright, radiant;
— que it is clear that, clearly
claro *adv.* clearly
clase *f.* class; — de español
class in Spanish
clásico, –a classical
cobrar collect, receive, obtain,
get; —le a uno en algo collect

something from somebody;
—se rehabilitate oneself
cocinero *m.* cook
coche *m.* coach, carriage
colectivo, –a collective
colegio *m.* school, college
colocar place
Colombina *f.* Columbine *see
page* 119
color *m.* color
coma *f.* comma
combatir fight, struggle
combinar combine, unite
comedia *f.* comedy; — del
Arte *see page* 118; Teatro
de la Comedia *see page* 107
comedido, –a moderate, considerate, courteous
comedor *m.* dining room
comenzar begin
comer eat
comerciante *m.* merchant,
trader
cometer commit
comida *f.* dinner
comisionar commission
como like, as, since; — + *subj.*
if, provided that; así —
just like; el modo — the
way in which; — que seeing
that; — si as if; tanto
(. . .) — as much as, as well
as, the same as
¿cómo? how? what?
comodidad *f.* comfort
compañero *m.* companion
compañía *f.* company; señora
de — companion
comparar compare
compartir share
compasión *f.* compassion, pity
complacer please

completo, –a complete

cómplice *m.* accomplice

compondrá *see* componer

componer compose, write; fix up, arrange

comprar buy

comprender understand, comprehend; include, comprise; **todo comprendido** everything included

comprometer compromise; **—se a** bind oneself to

compromiso *m.* compromise, obligation, engagement

compuse *see* componer

común common

comunicar communicate

comunidad *f.* community, family

comúnmente commonly

con with, by, on account of; **—** + *inf.* by, although, on account of; **— que** so; **— que** + *subj.* provided, if only; *for meanings in various expressions, see Notes and other headings in this vocabulary*

concebir conceive

conceder concede, grant

concepción *f.* conception

concepto *m.* conception, idea, thought, opinion

concesión *f.* concession

conciencia *f.* conscience, consciousness

concluir end, finish, complete; **— por** end by; **asunto concluido** the matter is settled

concurso *m.* gathering

condenar condemn

condición *f.* condition, position, rank, lot, fate, quality

conducir conduct, take

conducta *f.* conduct, behavior

conferencia *f.* conference

conferenciar have a conference

confesar confess

confianza *f.* confidence, trust

confiar confide, trust; **— en** confide in, trust in

confieso *see* confesar

conflicto *m.* conflict

conforme alike; **estar —** be agreed, agree

confortar comfort

confundir confound, confuse

confusión *f.* confusion

Congreso *m.* House (*corresponding approximately to House of Representatives in the United States*)

conjunto *m.* whole, *ensemble, tout ensemble*

conjurar, conspire, plot; **conjurado, –a** in league, in conspiracy

conmigo with me

conmover move, affect, soften

conmueve *see* conmover

conocedor *m.* knower, one who understands, expert

conocer know, be acquainted with, meet, comprehend; **— a fondo** know thoroughly; **¡cómo se conoce!** how easy it is to see!

conocimiento *m.* knowledge, understanding

conozcamos *see* conocer

conozco *see* conocer

conquista *f.* conquest

conquistar conquer, gain

consagración *f.* consecration, place of honor

consagrar dedicate

conseguir obtain; — + *inf.* succeed in, manage to; — **que** bring it about that, manage that

consejo *m.* advice; *prop. n.* Council, Cabinet

consentimiento *m.* consent

consentir consent, allow; — **en** consent *or* agree to

considerando *see page* 85, *note* 3

considerar consider

consiente *see* **consentir**

consigo with himself, with him

consigo *see* **conseguir**

consigu-e, -en *see* **conseguir**

consintiera *see* **consentir**

conspiración *f.* conspiracy

constar be clear, be evident; be recorded, be entered

constituir constitute, form, make up; **constituido por** made up of

constituy-e, -en *see* **constituir**

contante counting; **moneda** — ready money, cash

contar count; tell, relate; — **con** depend upon, rely upon, have at one's disposal, possess, enjoy; **no** — **por nada** count as nothing; **sin** — **para nada con** without taking any account of

contemplar contemplate

contemporáneo, -a contemporary

contener contain, hold, hold back, restrain, check, stop

contentar content, satisfy, please; **—se** be satisfied, be pleased

contento, -a glad, pleased, satisfied; — **de** pleased with

contestación *f.* reply

contestar answer, reply

contigo with you

continuar continue

contra against; **atreverse** — dare to oppose; **en** — **suya** against him; **votar en** — vote against it, vote on the other side

contradicción *f.* contradiction; **en** — **con** in contradiction with, out of touch with

contradictorio, -a de contradictory to

contrariar contradict, oppose, thwart, vex

contrario, -a contrary, opposite; **al** — on the contrary; **llevar la contraria a** run counter to, oppose

contratación *f.* trade, enterprise; **lonja de** — produce exchange

contratar contract, give a position to, engage

contribuir contribute

contrincante *m.* rival, opponent

convencer convince

conveniencia *f.* expedience, utility

convenir suit, be fitting, be proper, be helpful, be good, be pleasing, must; **conviene ocultarte** we must hide you

conversación *f.* conversation

conversador *m.* conversationalist

conversar converse

convertir convert, change

convicción *f.* conviction

convidado *m.* guest

convien–e, –en *see* **convenir**

conviniera *see* **convenir**

coquetear flirt

corazón *m.* heart

cordelillo *m.* (*dim. of* **cordel**) cord, small rope

correr run, hurry; — **con** take care of, be responsible for; — **tierras** rove over the world; **a mi cargo corre** it is my affair *or* duty; **corre de su cuenta** it is at his expense

correspondencia *f.* correspondence, mail

corresponder correspond, respond, reciprocate, return; belong, be suitable, be proper, be fitting

corriente current, ordinary

corrillo *m.* (*dim. of* **corro**) group

corte *f.* court, retinue, train; **Cortes** Parliament, Congress (*Senate and House of Spain*)

cortés courteous

cortesano *m.* courtier

cortesía *f.* courtesy; —**s** acts of courtesy, favors

corto, –a short; — **de vista** shortsighted, nearsighted

cosa *f.* thing, matter, object

cosmopolita cosmopolitan

costa *f.* cost, expense

costar cost

costilla *f.* rib

costumbre *f.* custom, habit

creación *f.* creation

crear create, establish; **intereses creados** *see page* 117

crecer grow, increase

crecimiento *m.* growth, increase

credencial *f.* credential

crédito *m.* credit, money accredited, note; esteem, reputation, confidence; **carta de** — letter of credit, credential; —**s extraordinarios** extraordinary credits; **persona de** — person of good character, responsible person; **hacer** — **a** give credit to

creer believe, think; — + *inf.* expect; —**se en el caso de** think oneself called upon to; ¡**no creas**! don't you believe it! you mustn't think it! ¡**ya lo creo**! yes indeed!

creyendo *see* **creer**

creyera *see* **creer**

creyésemos *see* **creer**

criada *f.* servant, maid

criado *m.* servant

criar raise, bring up

crimen *m.* crime

crisis *f.* crisis

Crispín *m. see page* 119

crítica *f.* criticism

cromo *m.* chromo

crónica *f.* chronicle; — **de sociedad** society news

cronista *m.* chronicler; — **de salones** society reporter

cruel cruel

cuadro *m.* picture; division (*of a play*), scene

cual like, as; **el, la** —, **los, las** —**es** who, which

¿**cuál**? which? what? which one?

cualidad *f.* quality, good quality

cualquier(a) *adj.* any, any whatever, whatever, any at all; **de** — **modo** in any case, however, in any fashion, any old way; **de — modo que sea** in whatever manner *or* however it may be

cualquiera *pron.* anybody, any one, anybody at all; whatever, whoever; **— que sea el favorecido** whoever the favored one may be

cuando when; **de — en —** from time to time; **de vez en —** from time to time

¿cuándo? when?

cuanto, –a how much, as much, all that, whatever, anything that; **—s** how many, as many, all that, whoever; **en —** as soon as; **en — a** as for; **unos —s** some, certain

¿cuánto, –a? how much? **¿—s?** how many? **¡— me alegro!** how glad I am! **¡cuántas veces!** how often!

cuarenta forty

cuarto *m.* room

cuatro four

cubrir cover

cuello *m.* neck, throat

cuenta *f.* account, affair; bill, note; **a mejor —** with better expectations; **corre de su —** it is at his expense; **pedir —** ask for an account; **por tu —** on your own account, for yourself; **tomar por su —** take upon oneself, take charge of; **tener —** bear in mind; **tener en —** take into consideration

cuenta *see* **contar**

cuento *m.* tale, story; **— de hadas** fairy tale

cuesta *see* **costar**

cuestión *f.* question

cuidado *m.* care, attention, anxiety; **haber —** feel anxiety, worry; **pasar —** worry; **quedar en —** be anxious; **tener —** take care, be careful; **tener mucho —** be very careful

cuidadoso, –a careful

cuidar care; **— de** take care of

culpa *f.* fault, blame

culpable guilty; **los —s** the guilty persons, the culprits

culpar blame

culto, –a cultivated

cultura *f.* culture, cultivation, refinement

cumbre *f.* summit, prime

cumplimiento *m.* fulfillment, accomplishment

cumplir fulfill, accomplish; perform one's duty; **— con** carry out, fulfill; **— los veinte años** reach the age of twenty years

curar cure

curia *f.* tribunal, bar, legal profession; **protocolo de —** legal document

curiosidad *f.* curiosity

cursi pretentious, vulgar

cursilería *f.* pretentiousness, vulgarity, piece of vulgarity

cuyo, –a whose

Ch

chafar rumple, cut short, spite

chaleco *m.* vest; **— de frac** dress vest; **— de fantasía** fancy vest chic *m.* (*Fr.*) style, elegance

chifladura *f.* fancy, whim, notion

chiquillo *m.* (*dim. of* chico) boy, little boy; —s little children

¡ chist ! hush! sh!

¡ chito ! hush! sh!

¡ chits ! hush! sh!

chochear dote, be in one's dotage

D

daca (da + acá) give here; toma y — give and take

dama *f.* lady

danzar dance

dañino, -a harmful, injurious; viejo — old trouble maker

dar give, attribute; cause, excite; take; inflict, hit, strike; — armas a give arms to, give a handle to, play into the hands of; — la batalla start the battle *or* struggle, cast the die; — con come upon, find; — con nosotros en put us in; — a conocer, let know, make understand, show; — en fall upon, chance upon; take a notion to, happen to; — un estirón take a sudden start in growth, shoot up suddenly; — frente a face; — guerra cause trouble; — lugar a give rise to, cause, give an opportunity to; — muerte a kill; — su parte a give (*something*) its due, recognize the importance of (*something*); —

un paso take a step; — de plano strike directly, hit squarely; — tregua a give a rest to, stop using; —se aires put on airs; da la casualidad chance has it, it happens by chance; me da una lástima it makes me feel sorry; lo mismo da it's all the same, it makes no difference; ¿ qué le dió ? what struck him ? what's the matter with him ?

Dario *see page* 93, *note* 2

de of, from, by, with, in, at, to, than; *for meanings of numerous phrases and expressions containing* de *see Notes and other headings in this vocabulary*

debajo de under, beneath

deber *m.* duty; *see below*

deber owe; be obliged to, be about to, be (destined) to, have to, must, ought; — de must: *see above*

debidamente justly, duly, properly, in due form

debido, -a due, rightful, proper

débil weak

debilidad *f.* weakness

decidir decide, settle; — de decide, determine; —se a decide to

decir say, tell; — (muy) bien speak (very) sensibly; es — that is to say; — que no say *or* tell no; querer — mean; —se perjudicado call oneself injured; digo I mean; no digas don't contradict; ¡ no se diga ! there's no denying it, there's no use talking! **no dirás** you can't say

declarar declare

decoro *m.* decorum, propriety

dedicar dedicate

dediqué *see* **dedicar**

dedo *m.* finger

defectillo *m.* (*dim. of* **defecto**) slight fault, slight defect, peccadillo

defecto *m.* defect, fault

defender defend, support

defiend-o, -e *see* **defender**

dejar leave, abandon, put down; let, allow; cease, stop; — **mal** disappoint; — **de** cease, stop; fail; —**se de** cease, stop; **dejadnos de** spare us

delante in front

delicadeza *f.* delicacy, refinement; —**s** refinements, delicacy

delicado, -a delicate

delincuente delinquent, guilty

delito *m.* fault, crime

demanda *f.* demand, request; **en — de** calling for

demarcar mark out, define

demás rest, other; **los —** the rest, the others, others

demasiado too, too much, more than enough

demonio *m.* demon

demora *f.* delay

dentro inside, within

deponer depose, give testimony

depositar deposit

depósito *m.* deposit

derecho *m.* right, law; fee; —**s de justicia** court fees

derecho, -a right; **a la derecha, la primera derecha, la segunda derecha** *see page* 39, *note* 1

desabrido, -a insipid, sour, sharp, short

desagradable disagreeable

desagradar displease, offend

desahogo *m.* unbosoming, freedom, frankness

desairado, -a graceless

desaire *m.* slight, rebuff, awkwardness, unpleasantness

desaparecer disappear

desarrollar develop; —**se** be developed, develop

desarrugar unwrinkle, smooth out

desatento, -a rude, impolite

descanso *m.* rest, repose

descargar discharge, administer, strike (*a blow*)

descargues *see* **descargar**

descender descend

desciende *see* **descender**

descolgar unhang, take down; —**se con** come out with

descolorido, -a discolored

descomedido, -a immoderate, rude

descomponer disarrange, break off

descompuesto *see* **descomponer**

desconfiado, -a distrustful

desconfianza *f.* distrust, mistrust

desconocer fail to recognize

desconozco *see* **desconocer**

desconsiderado, -a inconsiderate, thoughtless

descorrer draw (*a curtain*)

descortesía *f.* discourtesy

descosido *m.* rip, tear

descripción *f.* description

descubierto *see* **descubrir**

descubrir discover, disclose, unmask, find out; **a lo que se descubre** as far as we can see

descuelga *see* **descolgar**

descuidado, -a careless, care-free; **ir —** go without worrying, not worry

descuidar make oneself easy, not worry; **—se** be careless *or* negligent

desde *prep.* since, from; **— ahora** from now on; **— hoy** from this day on, from now on; **— que** *conj.* since

desdeñar disdain, scorn

desdicha *f.* misfortune

desdichado, -a unfortunate, unhappy

desdoblar unfold

desear desire, wish, want

desengaño *m.* disillusionment

deseo *m.* desire, wish

desesperado, -a desperate, despairing; **a la desesperada** desperately, in despair

desgraciado, -a unfortunate, unhappy

deshacerse de free oneself from, get rid of

desheredar disinherit

desistir desist, refrain; **el — de tu dimisión** the abandonment of your resignation

deslucido, -a tarnished, impaired; *see* **deslucir**

deslucir discredit, bring discredit; **— con el mundo** bring discredit in the eyes of the world; *see* **deslucido**

deslumbrar dazzle

desmayado, -a fainted away, fainting, unconscious

desoír not heed; **—se** be unheeded

desoyeron *see* **desoír**

despacio slowly; **más —** later, at greater leisure

despacho *m.* office

despedir dismiss, send off; **—se** take leave, say good-by; **—se de** take leave of, say good-by to

despejar clear, clear away

despertar awaken; *n.* awakening

despida *see* **despedir**

despreciable despicable, contemptible; **¡ — !** contemptible fellow!

despreciar despise

desprenderse de dispossess oneself of, give up, get rid of

despreocupado, -a easy, unconventional

después *adv.* afterwards, then, next; **— de** *prep.* after; **— de todo** after all

desquitarse retaliate, take revenge, get even

destemplanza *f.* immoderation, excess

destinar destine, intend, mean

destino *m.* destiny, fate

destreza *f.* skill, dexterity

destrozar destroy, break

destrucción *f.* destruction

desvelado, -a wakeful

desvergonzada *f.* shameless girl

desvergonzado *m.* shameless fellow

desvergüenza *f.* shamelessness
desvivirse outdo oneself, desire anxiously
detalle *m.* detail
detendrá *see* detener
detiene *see* detener
detener stop; —se stop
determinar, determine, fix
detrás *adv.* behind; — de *prep.* behind
di (*imper.*) *see* decir
d-í, -iste, -ió, -ieron *see* dar
día *m.* day; **al** — **siguiente** on the following day; **en estos** —s in these days, at the present time
diablo *m.* devil
diamante *m.* diamond
diario, -a daily
diatriba *f.* diatribe
diccionario *m.* dictionary
dic-es, -e, -en *see* decir
diciembre *m.* December
diciendo *see* decir
dicha *f.* happiness
dicho *m.* saying
dicho, -a said, the said; —s the same (*characters who remain on the stage for two or more scenes*)
dicho *see* decir
dichoso, -a happy, fortunate; blessed (*ironical*)
diente *m.* tooth
dieron *see* dar
diez ten
diferencia *f.* difference
difícil difficult, hard
dificultad *f.* difficulty
dig-as, -a, -áis *see* decir
dignarse deign, condescend
dignidad *f.* dignity

digno, -a worthy
digo *see* decir
dij-e, -iste, -o, -eron *see* decir
dile (di [*from* decir] + le)
dilucidar elucidate, explain
dime (di [*from* decir] + me)
dimisión *f.* resignation
dimitir resign
dineral *m.* large sum of money, fortune
dinero *m.* money
dió *see* dar
diputado *m.* deputy
dir-é, -ás, -á, -éis, -án *see* decir
dirección *f.* direction, tendency
directo, -a direct
dir-ía, -íais, -ían *see* decir
dirigir direct, guide; — **la palabra a** address; —se direct one's steps, go towards
discreción *f.* discretion, prudence
discreto, -a discreet, considerate, ingenious; **andar** — be considerate
discurrir reflect, reason
discurso *m.* speech
discutir discuss
disfrutar de enjoy
disgustar displease
disgusto *m.* displeasure, offense, slight, annoyance
disimular conceal
disparatado, -a absurd, silly, mad
disparate *m.* nonsense, absurdity
disparo *m.* firing, discharge (*of guns*)
disponer arrange, settle; — **de** dispose of; —se **a** prepare to, get ready to

disponga *see* **disponer**

dispuesto, -a prepared, ready

diste *see* **dar**

distingo *see* **distinguir**

distinguir distinguish, esteem, recognize

distinto, -a distinct, different, distinguished

distraer distract; —se obtain distraction

distrajo *see* **distraer**

ditirambo *m.* dithyramb

diverso, -a diverse, different

divertido, -a amusing; *see* **divertir**

divertir amuse; —se amuse oneself, have a good time; *see* **divertido**

divierte *see* **divertir**

divino, -a divine

doce twelve

docena *f.* dozen

docto, -a learned

doctor *m.* doctor; — **jurista** doctor of law

doctrina *f.* doctrine

doler hurt, ache; —se de regret, be sorry for; *see* **doliente**

doliente suffering; **hacerse del** — pretend to be suffering; *see* **doler**

dolo *m.* fraud, trickery

dominar dominate, prevail

Don Mr.; *usually not translated (used before Christian name)*

donación *f.* donation

donaire *m.* grace, elegance, witticism

doncella *f.* girl, maiden; servant, maid

donde where; **hasta** — as far as

¿**dónde**? where? ¿**de** —? from where? whence? ¿**hasta** —? how far?

Doña Mrs.; *usually not translated (used before Christian name)*

dos two; **los** — the two, both

doscientos, -as two hundred

dosel *m.* canopy

dotar portion, endow, give a dowry to

dote *f.* dowry

doy *see* **dar**

drama *m.* drama

dramático, -a dramatic

duda *f.* doubt; **sin** — **alguna** without any doubt

dudar doubt; — **de** doubt; — **en** hesitate to

dueño *m.* master

dulce sweet, soft, gentle

dulcemente sweetly, softly, gently

dulcificar sweeten, soften

dulzura *f.* sweetness, softness

durante during

durar endure, last

duro, -a hard, harsh, severe

E

e (*before* i *and* hi) and

¡**Ea**! oh! (*interj. used to express surprise or to arouse attention*)

echar throw, throw out, dismiss; —**lo a broma** make a joke of it; — **encima a** throw over, throw on, throw on top of

edad *f.* age; **tener más** — be older

edición *f.* edition

educar educate, bring up; **educado** well-bred; **mal educado** ill-bred

efectivo, -a effective, real; **algo —** something substantial, some cash

efecto *m.* effect

eficacia *f.* efficacy, usefulness

eficaz efficacious, effective

¡eh! eh! here! oh!

ejecutoria *f.* pedigree

ejemplar exemplary

ejemplo *m.* example, instance; **por —** for example, for instance

ejercicio *m.* exercise

ejército *m.* army

el, la, lo, los, las the; **— de** the one with; **— que** he who, the one who *or* which, *etc.;* who, which, that; **— mío, — tuyo,** *etc., see* **mío, tuyo,** *etc.*

él he, him, it

elegancia *f.* elegance

elegante elegant, stylish, fetching

elegir elect, choose, select

elevado, -a elevated, lofty, high; *see* **elevar**

elevar elevate, heighten, raise; *see* **elevado**

elogiar eulogize, praise

elogio *m.* eulogy, praise

ella she, her, it

ellas *f.* they, them

ello it

ellos *m.* they, them

embajada *f.* embassy

embajador *m.* ambassador

embargar attach, seize

embargo, sin however, yet, nevertheless

embobar amuse, fascinate

embrollo *m.* embroilment, entanglement, confusion

embuste *m.* lie, falsehood, fraud

Emilia *f.* Emily

Emiliano *see page* 94, *note* 3

empanada *f.* meat pie; **— de gato** cat pie (*in derision*)

empañar tarnish, stain

emparentar become related by marriage

empecemos *see* **empezar**

empeñar pledge; **—se** bind oneself (*to pay a debt*), go into debt; **—se en** insist upon, persist in

empeño *m.* eagerness, effort, determination; **poner uno todo su —** direct all one's efforts

empezar begin, commence

empiece *see* **empezar**

empiez-a, -an *see* **empezar**

emplear employ, use; **—se** busy oneself

empleo *m.* employment, calling, office

empresario *m.* (*theatrical*) impresario, manager

empujar push

en in, into, on, upon, at, about, to; *for meanings of numerous expressions containing* **en** *see Notes and other headings in this vocabulary*

enamoradillo, -a (*dim. of* **enamorado, -a**) slightly in love, mildly smitten

enamorado, -a enamored, in love, lover; **— de** in love with; *see* **enamorar**

enamorar enamor, inspire love in; —**se de** fall in love with

encantador *m.* enchanter, magician

encantador, -a enchanting, charming, delightful

encantar enchant, charm, delight

encanto *m.* enchantment, charm

encargo *m.* order; **por — de** by order of

encarnar take shape

encendido, -a burning, on fire

encerrar shut in

encima *adv.* above, on top; **echar — a** throw over, throw on, throw on top of; **— de** *prep.* on top of, above

encomendar commend, commit, intrust

encontrar meet, find

encuentra *see* encontrar

encumbrar raise, lift

endiablado, -a diabolical, devilish

enemigo *m.* enemy

enemigo, -a hostile

enfadar anger; —**se con** get angry at

engañar deceive, impose upon, cheat; —**se** deceive oneself, make a mistake, be wrong

engaño *m.* deceit, deception, mistake

enhoramala in an evil hour; **cásense —** let them marry, bad luck to them

enojar annoy, vex, anger; —**se** be vexed, get angry

enojoso, -a annoying, irritating

enorgullecerse swell (up) with pride, feel proud

enorme enormous, huge

enredo *m.* entanglement, trick, plot

ensanchar broaden, widen

enseñanza *f.* teaching

enseñar teach, show

entender understand, believe, conceive; **— en** be in charge of, have a hand in; —**se** understand each other *or* one another, come to an understanding

entendimiento *m.* intelligence, comprehension, intellect

enterar inform, acquaint; —**se** find out; —**se de que** find out that; **ya estás enterado** now you know

entero, -a entire, whole; **por — entirely**

entiend-o, -es *see* entender

entonces then, at that time; **de —** of *or* belonging to that time

entrada *f.* entry, entrance

entrar enter, go in; —**se** enter

entre between, among, in the midst of

entregar give, hand, deliver, give up

entretanto meanwhile

entrevista *f.* interview

entristecer sadden

entusiasmado, -a filled with enthusiasm, enthusiastic

entusiasmo *m.* enthusiasm

enumerar enumerate

envejecer grow old

enviar send

envidia *f.* envy; **tener — a** be envious *or* jealous of
envidiar envy
envío *m.* sending, shipment
enviudar become a widower *or* widow
envolver envelop
epitalamio *m.* epithalamium, marriage song
época *f.* epoch, age
equidad *f.* equity
equitas (*Lat.*) *see page* 100, *note* 2
equivocación *f.* mistake
equivocar mistake; **—se** be mistaken; **sigues equivocado** you are still mistaken
er–a, –as, –an *see* ser
eres *see* ser
errante wandering, vagabond
error *m.* error, mistake
es *see* ser
escalera *f.* stairs, stairway; **— de servicio** back stairs
escalón *m.* step (*of a stair*), stepping-stone
escapar escape
escarmentar take warning, give warning, admonish
escena *f.* scene, stage
escisión *f.* division
escoger choose, select
escoltar escort, conduct
esconder hide; **—se** hide
escote *m.* décolleté, low-neck dress
escribir write
escrito *see* escribir
escritor *m.* writer
escrúpulo *m.* scruple
escrupuloso, –a scrupulous; **de puro —** out of pure scrupulousness *or* conscientiousness

escuchar listen, listen to
escudo *m.* crown (*a coin no longer in use*)
escuela *f.* school
ese, esa that; **esos, esas** those; **por esos mares** on the high seas
ése, ésa, eso, that one, that; **ésos, ésas,** those; ¡**eso, eso!** just that! exactly so! **eso es** that's it; ¿**no es eso?** isn't that so? **si eso fuera** if that were the case; ¡**eso no!** not that! **por eso** therefore, for that reason; **por eso mismo,** for that very reason; **eso que** although, even though; **eso sí** yes indeed; **eso sí que no** certainly not that; **llegar a eso** come to that, go so far
esencial essential, necessary
esfuerzo *m.* effort, exertion, spirit
eso *see* ése
espacioso, –a spacious
espada *f.* sword
espadachín *m.* (swaggering) swordsman, bully, ruffian, bravo
espalda *f.* back, shoulder
espantar frighten; **—se** be frightened *or* startled, take fright
España *f.* Spain
español *m.* Spaniard
español, –a Spanish; **el —** Spanish (*the language*)
especialidad *f.* special quality, specialty
especialmente, especially
espectáculo *m.* spectacle
espera *f.* wait, waiting, ex-

pectation; en — de in ex-
pectation of, in the hope of

esperanza *f.* hope

esperar hope, expect, await,
wait

espetado, –a stiff, haughty,
majestic

espíritu *m.* spirit, heart, soul,
mind

espiritual spiritual

esplendidez *f.* splendor

espléndido, –a splendid

esposa *f.* wife

esposo *m.* husband

est (*Lat.*) *see page* 100, *note* 2

estado *m.* state, estate, position

estafermo *m.* loiterer, idler,
graven image

estar be; — de acuerdo be
agreed, agree; — sin blanca
be penniless; — conforme
con agree with; — de más
be in the way *or* objectionable; — para be about to,
be in a position to *or* for;
— para burlas be in a mood
for jokes; — por be inclined
toward, have a liking for;
— a punto de be on the
point of; — en su punto be
at its height; — de visita be
paying a visit, be calling;
—se stand, stay; bien os está
por you're in a fine fix for

este, esta this; **estos, estas** these

éste, ésta, esto, this one, this;
éstos, éstas, these; los fines
de éste [estudio] the purposes
thereof; esto es this is *or* that
is; esto otro this other thing

estético, –a aesthetic

estilo *m.* style

estimación *f.* (high) estimation,
esteem

estimar esteem, value; —se
en value oneself at

estipendio *m.* stipend

estirón *m.* strong pull; rapid
growth; dar un — take a
sudden start in growth,
shoot up suddenly

estirpe *f.* race, stock, lineage

estival of summer, relating to
the summer, summer . . .

esto *see* éste

estofa *f.* quality, condition

estofado, –a stewed

estorbar impede, disturb, ob-
struct

estorbo *m.* obstruction

estoy *see* estar

estrambote *m. a tag of two or
more verses appended to a
sonnet for humorous or graceful effect*

estratagema *f.* stratagem, trick

estrechez *f.* poverty

estrella *f.* star

estrenar present for the first
time (*used especially of a
theatrical performance*)

estudiante *m.* student

estudiar study, consider

estudio *m.* study

estuv–iera, –iéramos *see* estar

estuv–iste, –o, –ieron *see* estar

eternidad *f.* eternity

eterno, –a eternal

europeo, –a European

evidencia *f.* evidence; poner en
— make clear, make known,
demonstrate, set forth

evidente evident

evitar avoid, escape

exacto, –a exact, precise, accurate

exagerar exaggerate

exaltación f. exaltation, fervor

exceder exceed, surpass

excelente excellent

excelso, –a elevated, lofty

excepcional exceptional

exceso m. excess; por — through or by excess

exclusión f. exclusion

exclusivamente exclusively

excusar excuse, avoid

exigir exact, require, demand

existencia f. existence

existir exist

éxito m. success

experiencia f. experience

experto –a expert

explicar explain; —se understand

exponer expose, show, disclose; es expuesto that's evident

expongo see exponer

expositivo, –a explanatory

expresar express

expresión f. expression

expresivo, –a expressive

expuesto see exponer

expuso see exponer

extenso, –a extensive

extrañar wonder at, be surprised at

extraño, –a strange

extraordinario, –a extraordinary, unusual; créditos —s extraordinary credits

extraviado, –a gone astray, lost, wayward

extremar carry to an extreme, exaggerate

F

fácil easy

facilitar facilitate, make easy

factura f. bill

fachada f. façade, front

falda f. skirt

falta f. lack, want; fault, defect, failing

faltar be deficient, be lacking; fail; need, lack; — a fail to, break, be absent from; no te faltaba más que you needed only that, the only thing you lacked was that

fama f. fame, reputation, good name

familia f. family

famoso, –a famous, remarkable

fantasía f. fantasy, fancy, imagination, caprice; chaleco de — fancy vest

fantoche m. (from Fr.) marionette

farsa f. farce

favor m. favor, kindness, help; ¡ —! help!

favorecer favor, help; el favorecido the one favored

fe f. faith, confidence; buena — good faith, honesty

felices see feliz

felicidad f. happiness

feliz happy

femenino, –a feminine

feo, –a ugly, hideous; ¡ qué cosa más fea ! what a hideous thing!

feria f. fair, carnival

Ferioque see page 93, note 2

festejar feast, entertain

fiado, -a en trusting in, relying upon; *see* **fiar**

fiador *m.* guarantor

fianza *f.* surety, security, bail

fiar trust, guarantee; — **de** trust in, rely upon; — **en** trust in, rely upon; —**se a** trust, depend upon; —**se de** trust, depend upon; **a no — tanto de** if he did not rely so much upon; **no me fío** I have no confidence; *see* **fiado**

ficción *f.* fiction

fiel faithful

fiesta *f.* feast

figura *f.* figure, face

figuraos (figurad + os)

figurarse imagine

figurín *m.* fashion plate

fijar fix, fasten; —**se** become fixed *or* stable; notice; —**se en** fix upon, settle upon; notice

filosofía *f.* philosophy

fin *m. and f.* end, aim, object; **al** — after all, in short; **en** — after all, in short; **por** — at last, at length, finally

final *m.* end, conclusion

finca *f.* estate

fingimiento *m.* feigning, simulation, deceit

fingir feign, pretend, dissemble; — **balbuceos** pretend to stammer (*as if speaking like a child*)

finura *f.* fineness, exquisiteness

firma *f.* signature

firmar sign

fisonomía *f.*, physiognomy, face

flor *f.* flower

florecer flourish, thrive

Florencia *f.* Florence

folio *m.* folio

follaje *m.* foliage

fondo *m.* bottom, background; **conocer a** — know thoroughly

foragido *m.* highwayman, outlaw

forma *f.* form

formal formal, regular; proper, reliable, serious, real

formalidad *f.* formality

formar form

fórmula *f.* formula

foro *m.* back (*of the stage*)

fortalecer fortify, strengthen

fortuna *f.* fortune, good fortune, chance; **hombre de** — soldier of fortune

forzar force, compel

forzoso, -a necessary, obligatory

frac *m.* dress coat; **chaleco de** — dress vest

francamente frankly

francesa *f.* Frenchwoman

Francia *f.* France

franqueza *f.* frankness

fraude *m.* fraud, imposture

frecuentar frequent, visit

frente *f.* front; forehead; face; **dar** — **a** face

fruta *f.* fruit; *see* **fruto**

fruto *m.* fruit, result, benefit

fué *see* **ir** *and* **ser**

fuego *m.* fire; —**s de artificio** fireworks

fuera *adv.* outside, without, — **la coma** away with the comma; — **de** *prep.* outside, outside of, away from; except; unlike, contrary to fu-era, -eras, -éramos *see* ser

fuerte strong; plaza — fortress, stronghold

fuerte *adv.* strongly, loudly

fuerza *f.* force, strength, vigor, necessity; —s forces, strength; ser — be necessary

fu-í, -iste, -é, -imos, -isteis, -eron *see* ser *and* ir

Fulanito *m.* (*dim. of* Fulano) So-and-so

fumar smoke

función *f.* function, discharge of duty, duty; performance (*theatrical*)

funeraria *f.* undertaker's establishment

G

gabán *m.* overcoat

gabinete *m.* cabinet, parlor, reception room

gala *f.* gala; —s finery

galán *m.* gallant, courtier, lover

galante *m.* gallant, courtier, lover

galante gallant, polished, courtly; ¡qué poco —! how impolite!

galantería *f.* gallantry; —s gallant remarks, compliments

galera *f.* galley

gallina *f.* hen, chicken

gana *f.* inclination, desire; de muy buena — very gladly

ganar gain, earn, win; victorias ganadas al turco victories won over the Turk

ganga *f.* bargain

garantía *f.* guaranty, security

gastar spend

gasto *m.* expense; hacer — incur expense

gato *m.* cat; empanada de — cat pie (*in derision*)

generación *f.* generation

general general, common, usual

generalmente generally, in general

género *m.* kind, variety, class

generosidad *f.* generosity

generoso, -a generous

genio *m.* nature, character, genius

gente *f.* people; —s people

gentecilla *f.* (*dim. of* gente) shabby people, people (*in contemptuous sense*); — de poco más o menos people of little account

gentil genteel, elegant, exquisite

gentileza *f.* elegance, politeness

gira *f.* turn, turn of expression

gloria *f.* glory; tenerlo a — consider it a great honor

glorioso, -a glorious

gobernar govern

gobiernan *see* gobernar

gobierno *m.* government

golpe *m.* blow; empezar a —s begin to deal blows

golpear beat, strike; el golpeado the one struck, the person struck

Gómez *no English equivalent*

González *no English equivalent*

gozar de enjoy

grabar engrave

gracia *f.* grace, elegance, graciousness, courtesy, joke; —s *also* thanks, thank you

gracioso, -a gracious, pleasing, funny

grado *m.* grade, degree; **en el mayor — posible** to the greatest possible degree

gramatical grammatical

grande *m.* great person, grandee

grande great, large, big; **los —s** the great

grandeza *f.* greatness

gratitud *f.* gratitude

grave grave, serious, weighty; **el —** the serious man

gravedad *f.* gravity, seriousness, weightiness

gravemente gravely, seriously

gris gray

gritar cry, shout

grosería *f.* grossness, discourtesy

grosero, -a coarse

grotesco, -a grotesque

grupo *m.* group

guapo, -a pretty, elegant

guardar guard, protect, keep; **— respeto** show respect

guerra *f.* war; **dar —** cause trouble

guiñolesco, -a pertaining to **guiñol,** *see page* 40, *note* 3

gustar please; like, enjoy; **le gusta** he likes; **— de** be fond of, like, enjoy

gusto *m.* taste, pleasure, choice; **con —** gladly; **a su —** to his own taste, according to his own pleasure; **por tu —** by your own choice

gustoso, -a pleasing, joyful, willing

H

h–a, –as, –an *see* haber

haber have; *impers.* be: **hay** there is, there are; **había** there was, there were, *etc.;* **no hay para** there is no reason to; **— que** be necessary to; **hay que** it is necessary to *etc.;* **no hay que** (you) mustn't; **haber cuidado** worry; **— de** be about to, need to, have to, be bound to, must, shall, will, *etc.;* **he de** I am to, must, *etc.;* **— menester** have need, need; **— temor** be afraid, fear; **ha más de un mes** more than a month ago

habilidad *f.* ability

habitación *f.* room

habla *f.* speech

hablar speak, talk; **el —** speaking; *see* razón

habr–é, –á, –éis, –án *see* haber

haceos (**haced** + os)

hacer do, make, cause, produce; take; **— + *inf.*** cause, make, have, let; **— asiento** make a stop *or* halt; **— muy bien en** do very well to; **— caso** care; **— caso a** pay attention to (*a person*); **— causa con** make common cause with, join; **— crédito a** give credit to; **— gasto** incur expense; **— (la) merced de** be kind enough to, please; **— mérito de** make a parade of; **— que** bring it about that, cause, have; **—se** be made, take place, become:

—se de pretend to be; ¡buena la hicisteis! that's a fine thing you've done! no — más que do no more than, only to; no hace más que sonar el timbre the bell does nothing but ring, the bell is ringing all the time; hace mucho tiempo long ago; no hará tanto que esperan they cannot have been waiting so long; veinte años hace twenty years ago

hacia towards; about; — arriba upward

hacienda f. estate, property, fortune; prop. n. Treasury; ministra de — ministress of the Treasury

hada f. fairy; cuento de —s fairy tale

hag–a, –as, –áis, –an see hacer

hago see hacer

halagar flatter

hallar find; —se find oneself, be

hambre f. hunger

hampón m. rowdy, bully

han see haber

har–é, –ás, –á, –emos, –éis see hacer

haría see hacer

harto enough, sufficiently, quite, very, very much

has see haber

hasta prep. up to, until, as far as; — ahora until now; we'll see you again presently; — donde as far as; ¿— donde? how far? adv. even

hatillo m. (dim. of hato) small bundle

hay see haber

hay–a, –as, –áis, –an, see haber

hazaña f. deed, feat

he see haber

he aquí behold, here is

hecho m. fact

hecho see hacer

hemos see haber

heredar inherit

herida f. wound

herido, –a wounded, hurt

hermana f. sister

hermoso, –a beautiful, handsome

hermosura f. beauty

Hernández no English equivalent

héroe m. hero

heroico, –a heroic

hervir boil, seethe

hic–e, –iste, –imos, –isteis, –ieron see hacer

hicieras see hacer

hija f. daughter

hijo m. son; —s sons and daughters, offspring, children

hilo m. thread

hirviente boiling; see hervir

hispánico, –a Hispanic

hispano, –a Spanish

Hispano-América f. Spanish America

hispano-americano, –a Spanish-American

historia f. history, story

histórico, –a historical

hizo see hacer

¡hola! hallo!

hombre m. man; — de fortuna soldier of fortune; — de mundo man of the world: todo un — a grown man

honor *m.* honor

honrado, -a honest, honorable

hora *f.* hour, time; **es — de que** it is time that; **a estas —s** at this time, now; **en media —** in half an hour; **a todas —s** all the time; **—s y —s** for hours and hours, for hours on end

horca *f.* gallows; **carne de —** gallows bird

horrible horrible

¡ horror ! horrors!

hospedar lodge; **—se** take lodgings, lodge, stop

hospedería *f.* hostelry, inn, hotel

hospital *m.* hospital, asylum

hostelero *m.* innkeeper

hostería *f.* hostelry, inn, hotel

hoy to-day; **desde —** from this day on, from now on; **sólo de — le conozco** I met him only to-day

hub–e, –o *see* **haber**

hub–iera, –ieras, –iéramos, –ierais *see* **haber**

huida *f.* flight, escape, way of escape

huir flee, run away

humanidad *f.* humanity

humanitario, -a humanitarian

humano, -a human; **los —s** human beings, men

humilde humble; **los —s** the humble, the lowly

humillar humble

humo *m.* smoke

humor *m.* humor, temper, disposition; **de buen —** good-natured; **poner de mal —** put into a bad humor

humorada *f.* whim, fancy

hurtar steal

hurto *m.* theft, petty larceny

huyamos *see* **huir**

huye *see* **huir**

huyéramos *see* **huir**

huyó *see* **huir**

I

iba *see* **ir**

idea *f.* idea

ideal *m.* ideal

ideal ideal; **el —** the ideal

idealismo *m.* idealism; **—s** ideal thoughts

idealista *m.* idealist

idear conceive, contrive, plan

ídem the same

idioma *m.* language

ignorante ignorant

ignorar be ignorant of

ilusión *f.* illusion

ilusionar entrance, fascinate, carry away

ilustrar illustrate, ennoble

ilustre illustrious

imaginario, -a imaginary

impedir hinder, prevent

impertinencia *f.* impertinence, impertinent thing; **decir —s** make impertinent remarks; **una** *or* **alguna —** something impertinent

impertinente impertinent

impide *see* **impedir**

impiedad *f.* impiety, impiousness

impondré *see* **imponer**

imponer (a) impose (upon), force (upon)

importancia *f.* importance

importante important

importar be of importance, concern, matter; **te importa más** it is more important to you; **nada importa** it makes no difference; **nada me importa de** I don't care anything about; **no me importa** I don't care

importunar trouble, bother

imposible impossible

impostor *m.* impostor

imprevisto, -a unforeseen; **—s** unforeseen expenses

impropio, -a de unbefitting

improvisar improvise, make up

improviso, -a unexpected; **de —** unexpectedly, suddenly

imprudente imprudent; **¡—!** rash man!

impuesto *see* **imponer**

impune unpunished, with impunity

impureza *f.* impurity

inapreciable inestimable

incapaces *see* **incapaz**

incapaz incapable

incesante incessant

incivil uncivil, impolite

inclinar, incline, dispose

incógnita *f.* unknown quantity

incomodar disturb, trouble

incomparable incomparable

inconveniente *m.* drawback, obstacle, difficulty

increíble incredible

incurable incurable

indecoroso, -a indecorous, unbecoming

indicar indicate, show, point out

indiferente indifferent

indignación *f.* indignation

indignidad *f.* indignity

indigno, -a unworthy

indisponer disarrange

indispuesto, -a indisposed

indocto, -a uneducated, ignorant

inefable ineffable

ineficaz ineffective

inepto, -a inept, unsuitable

infeliz unfortunate, unhappy; **este —** this unfortunate man

infierno *m.* inferno, hell

infinito, -a infinite

inflexibilidad *f.* inflexibility

influencia *f.* influence

informar inform

ingenio *m.* genius, talent, mind, brains, cleverness

ingenuo, -a ingenuous, simple

inglés, -esa English

iniciar begin

injuria (*Lat.*) *see page* 93, *note* 1

injusto, -a unjust, unfair

inmensamente immensely

inmortal immortal

innovación *f.* innovation

inocencia *f.* innocence

inocente innocent

inquieto, -a restless, uneasy, anxious

insigne notable, famous

insistir insist

insolencia *f.* insolence

insolente insolent; **¡—!** insolent fellow!

insoportable insupportable, intolerable

insostenible unsustainable, indefensible

inspirar inspire

instalar install

instante *m.* instant, moment

insulto *m.* insult

insustituible indispensable

inteligencia *f.* understanding

intención *f.* intention, intent

intensidad *f.* intensity

intensificar intensify

intentar attempt, try, tend

interés *m.* interest, gain, advantage; interest (*monetary*); —es creados *see page* 117

interesante interesting

interesar interest

ínterin *m.* interim, meantime

interponer interpose

interpongo *see* interponer

interpretar interpret

intervengo *see* intervenir

intervenir intervene, interfere

intimidad *f.* intimacy

intimidar intimidate, daunt

intriga *f.* intrigue

intrigante *m. or f.* intriguer

introducción *f.* introduction

inútil useless

invención *f.* invention

inventario *m.* inventory

invitar invite

ir go, proceed, go on, continue; — + *pres. part.* go on, be; — + *past part.* be; —a be going to, go and; — a buscar go to seek, go for; — a ver go to see, visit; — y venir come and go, go to and fro; — de veras be serious; —se go away; ¿quién va? who's there? ¡vamos! come! well! oh! ¡vamos a ver! let's see! ¡vaya! come! well! oh! no vayas a decir don't go and say

ironía *f.* irony

irrevocable irrevocable

italiano, –a Italian

izquierdo, –a left; la primera izquierda, la segunda izquierda *see page* 39, *note* 2

J

¡ja, ja, ja! ha, ha, ha!

jactancioso, –a boastful, vainglorious

japonés, –esa Japanese

jardín *m.* garden

jefe *m.* chief, leader

joroba *f.* hump, deformity, defect

joven *m.* young man, youth

joven *f.* young woman, girl

joven young

joya *f.* jewel

judío, –a Jewish

juego *m.* game, play; poner en — put into play

jugar play

juicio *m.* judgment, senses, opinion

juntar join, unite, bring together

junto, –a united, together; —s together; — con in company with, along with, with

junto a *prep.* next to, close to, near

juramento *m.* oath, vow

jurar swear

jurisprudencia *f.* jurisprudence

jurista *m.* jurist, lawyer; doctor — doctor of law

jus (*Lat.*) *see page* 93, *note* 1

justicia *f.* justice; tomarse — por su mano take the law into one's own hands

justicia (*Lat.*) *see page* 100, *note 2*

Justiniano Justinian *see page* 94, *note 3*

justo, –a just

juventud *f.* youth, youthfulness

juzgar judge

L

la *f.* the; — **de** that of; — **de González** Mrs. *or* Madam González

la her, to her, it

labio *m.* lip

labor *m.* labor, work

lado *m.* side, direction; **del otro** — on the other side; **cada uno por su** — each one in his own way

lágrima *f.* tear

lamentar lament; —**se** lament; —**se de** bewail, complain of, regret

Lara (**Teatro**) *see page* 117

largo, –a long; **poner de** — put long dresses on

largueza *f.* liberality

las the; — **de** those of

las them

lástima *f.* pity; **me da una** — it makes me feel sorry

Laura *f.* Laura

lazo *m.* bond, tie

le him, it, you; to him, to her, to it, to you

leal loyal, faithful; **ser de los** —**es** be among the faithful

lealtad *f.* loyalty

Leandro *m.* Leander

lectura *f.* reading

leer read

legal legal

legión *f.* legion, multitude, crowd

lejos far

lengua *f.* tongue, language

lenguaje *m.* language

lerdo, –a slow, stupid

les to them, them

letra *f.* letter

letrero *m.* sign, notice

levantar lift, raise, rouse; —**se** rise; revolt

leve light

ley *f.* law; **oro de** — legal *or* standard gold

leyendo *see* leer

leyese *see* leer

lexicográfico, –a lexicographic

liberal liberal

libertad *f.* liberty, freedom; **con toda** — in complete freedom

libranza *f.* bill of exchange, draft

librar free, deliver; ¡**no he librado de mala**! I've had a narrow escape!

libre free

licencia *f.* license, permission; ¡**con** —! with your permission! by your leave!

liebre *f.* hare; **pastel de** — hare pie

ligar bind

ligero, –a slight

limitar, limit

límite *m.* limit

limosna *f.* alms, charity

linaje *m.* lineage, family

lindo, –a pretty, handsome, fine, charming

lisonja *f.* flattery, compliment: —**s** pieces of flattery, flattery

lisonjero *m.* flatterer
literario, –a literary
literatura *f.* literature
lo him, it; one, some, any, so
lo *neuter* the; — **de** the matter of; — **de siempre** the constant *or* usual thing; — **que** that which, what; **a** — **que** according to what, as far as; — **que es** as for; **más de** — **que** + *verb* more than; **todo** — **que** anything that, whatever
locamente madly
loco *m.* lunatic, madman
loco, –a crazy, insane; ¡ **loca !** mad girl !
locura *f.* madness, folly
lógica *f.* logic
lograr attain, secure; — + *inf.* succeed in, manage to
logro *m.* attainment
lonja *f.* exchange; — **de contratación** produce exchange
los the; — **de** those of; — **que** those who, who, whom, which
los them
lucido, –a brilliant; *see* **lucir**
lucir display, show off; *see* **lucido**
lucha *f.* struggle
luchar struggle
luego soon, presently, at once; then, later
lugar *m.* place, spot; cause, motive; **dar** — **a** give rise to, cause, give an opportunity to
Luisa *f.* Louise
Luisita *f.* (*dim. of Luisa*) little Louise (*it is best to retain Spanish name*)

lujo *m.* luxury
luminaria *f.* illumination, festival lights
luna *f.* moon
luto *m.* mourning
luz *f.* light; **a la** — **de** by the light of; **a poca** — by a dim light

Ll

llamar call, knock; — **la atención** attract attention; — **más la atención** attract greater attention
llegar arrive, come, reach; — **a** come to, reach, come to the point of, succeed in, arrive at, attain; — **a eso** come to that, go so far; — **a ser** come to be, become; — **hasta** go so far as to; —**se** arrive
llegue *see* **llegar**
llenar fill
lleno, –a full, filled
llevar carry, take, bring, conduct, bear; collect, charge; wear, have, contain; persuade, carry away (*by argument*); — + *p. p.* have; — **a cabo** bring to completion, bring into effect, carry out; — **la contraria a** run counter to, oppose; — **la dimisión** present one's resignation; — **mejor camino** follow a better course
llorar weep, cry

M

madre *f.* mother
Madrid *m.* Madrid

madrileño, -a belonging to Madrid, Madrid

madrugador *m.* early riser; **ser poco —** not be a very early riser

madurez *f.* maturity

maestro *m.* master

magia *f.* magic

magna (*Lat.*) *see page* 100, *note* 2

majadero *m.* bore, fool, booby

mal *m.* evil, wrong, wickedness

mal *see* **malo**

mal *adv.* badly, poorly, ill, scarcely, with difficulty; **dejar —** disappoint

malandrín *m.* rascal, scoundrel

maldad *f.* wickedness, evil deed

maldiciente *m.* slanderer, defamer

maldiciente slanderous

malgastar squander, waste

malherido, -a badly wounded

malicia *f.* malice; **—s** malicious *or* shrewd remarks, mischief

malicioso, -a malicious, mischievous

mal(o), -a bad, wicked; **lo —** the trouble; ¡**no he librado de mala!** I've had a narrow escape!

malograr waste, lose; **—lo con** spoil things by

maltratar illtreat

malvado *m.* wicked man, scoundrel

malvender sell at a loss, sacrifice

mamá *f.* mamma, mother

mamarracho *m.* grotesque figure, absurdity, ridiculous thing

mandar command, order, send

manera *f.* manner, way; **de esa —** in that way, so; **de esta —** in this way, thus; **de — que** so that

manifestación *f.* manifestation

mano *f.* hand; **— airada** assault and battery; **asaltar a — armada** assault with arms *or* violence, commit assault and battery upon; **traer a —** carry by hand; **tomarse justicia por su —** take the law into one's own hands

mansión *f.* residence, abode

Mantua *f.* Mantua

Manuel *m.* Manuel

mañana to-morrow; **pasado —** the day after to-morrow

mar *m.* sea; **por esos —es** on the high seas

maravilla *f.* marvel, wonder

maravilloso, -a marvelous, wonderful

marcha *f.* march, course

marido *m.* husband

marrullero *m.* deceiver, cheat

marzo *m.* March

mas but

más *adj. and adv.* more, most, rather, other, another; **los —** the majority; **a — de** in addition to, besides; **— adelante** further on, later; **estar de —** be in the way *or* objectionable; **— bien** rather; **no . . . — que** only; **ni . . . — que** nor . . . except to; **un paso —** one step further, another step; (**poco**) **— o menos** more or less, about;

por — que although, however, however much; ¡qué cosa — fea! what a hideous thing! sin — ni — without further ado; — tarde later

máscara f. mask

masculino, -a masculine, male

matar kill

matrimonio m. matrimony, married couple

mayor greater, greatest

mayoría f. majority

me me, to me, myself

mediación f. mediation

medicina f. medicine

medida f. measure, proportion, moderation; sin — disproportionately

medio m. middle, midst; measure, way, means; de por — as an intermediary

medio, -a middle, half; en media hora in half an hour

meditar meditate

mejor adj. and adv. better, best; lo — the best, the best part, the best thing; aconsejar lo — give the best advice

melancolía f. melancholy, sadness

melancólico, -a melancholy, sad

menester m. need; haber — have need of, need

menester necessary

Menganito m. (dim. of Mengano) So-and-so

menor lesser, less, least, slightest

menos adj. and adv. less, least; except; al — at least; ¡— mal! that's not so bad! por lo — at least

menospreciar despise

mentar mention

mentir lie, tell a falsehood

mentira f. lie, falsehood

mercader m. merchant

mercancía f. merchandise

merced f. favor, grace; hacer (la) merced de be kind enough to, please

Merceditas f. (dim. of Mercedes) little Mercedes (it is best to retain Spanish name)

merecer deserve

mérito m. merit, worth, excellence; hacer — de make a parade of

mes m. month

mesa f. table, desk; poner la — set the table

mezcla f. mixture

mi my

mí (after prepositions) me

mientas see mentir

mientes see mentir

mientras prep. during; conj. while, as long as

mil a thousand

militar military

mimar indulge, spoil

mínimo, -a least, slightest, smallest; lo más — in the slightest degree

ministerial ministerial

ministerio m. ministry; office; de — en — from ministry to ministry

ministra f. minister's wife, ministress

ministro m. minister

mío, -a mine, of mine, my; el mío, la mía etc. mine

mirada f. glance, look

mirar look, look at, have regard for; **—te a la cara** look at your face; **—se** look out, be careful, see to it; **mire que** look out or, bear in mind that; **bien mirado** carefully looked at or considered

miserable miserable, wretched

miseria *f.* misery

mismo, –a same, very, -self; **por eso —** for that very reason; **lo —** the same thing, in the same way; **lo — da** it's all the same, it makes no difference; **un —** one and the same; **uno —** one and the same person

misterio *m.* mystery

misterioso, –a mysterious

mitad *f.* half

moda *f.* fashion, style

modelo *m.* model

modernidad *f.* modernness, newness

modernista modern, up-to-date

moderno, –a modern

modestia *f.* modesty

modisto *m.* dressmaker, tailor

modo *m.* way, manner; **no . . . en — alguno** by no means; **de cualquier —** however, in any case, in any fashion, any old way; **de cualquier — que sea** however it may be, in some way or other; **de ese — in that way; de muchos —s** in many ways; **de** (or **por**) **ningún —** by no means, not at all; **de otro —** otherwise; **de — que** so that; **de tal — in such a way; de un — in a way

molestar molest, annoy, torment, cause trouble

molestia *f.* annoyance, inconvenience

momento *m.* moment; **en este —** at this moment, now

moneda *f.* coin, money; **— contante** ready money, cash

monstruo *m.* monster, marvel

monte *m.* mountain

moral moral

mordaz biting, sarcastic

moreno, –a dark, brunette

moribundo, –a dying

morir die; **—se** die

mostrar show

motivar cause

motivo *m.* motive, cause, reason

mover move; **—se** move

moza *f.* girl, maid

mozo *m.* boy, porter, servant

mozuelo *m.* (*dim. of* **mozo**) young man, young fellow

muchacha *f.* girl

muchacho *m.* boy, youth, fellow

mucho, –a much, a great deal of; **—s** many; **— fuera que** it would be very strange if; **tener mucha razón** be quite right; **mucho** *adv.* much, a great deal

mudo, –a mute, silent

muere *see* **morir**

muerte *f.* death; **dar — a** kill

muerto, –a dead; *see* **morir**

muestra *f.* specimen, sample

muestr–a, –an *see* **mostrar**

muevas *see* **mover**

muev–e, –en *see* **mover**

mujer *f.* woman, wife
múltiple multiple, complex
multitud *f.* multitude
mundo *m.* world; **todo el —** everybody
muñeco *m.* puppet, doll
muriendo *see* morir
murieron *see* morir
murmurar murmur, whisper
música *f.* music; **—s** musical performances, music
músico *m.* musician
mutación *f.* mutation, change; change of scene (*theatrical*)
mutuamente mutually
mutuo, –a mutual
muy very, very much

N

nacer be born, arise
nada nothing, nothing at all, at all, anything; **— de** none of; **de — ha de servirle** it will do him no good
nadie nobody, no one, anybody
Nápoles *f.* Naples
natural *m.* native
natural natural
naturaleza *f.* nature
naturalidad *f.* naturalness
nave *f.* ship
Navidad *f.* Christmas; **estas —es** this Christmas
necedad *f.* stupidity, foolishness, folly
necesidad *f.* necessity, need
necesitado, –a needy, poor; *see* **necesitar**
necesitar need, need to, have to; **— de** need; *see* **necesitado**
necio *m.* fool, simpleton

necio, –a foolish, silly
negar deny, refuse; **—se a** refuse to
negociante *m.* business man, merchant
negocio *m.* business, affair
negro, –a black; **poner lo blanco —** make white seem black; **Campos Negros** Black Fields (*name of an imaginary place*)
negué *see* **negar**
nervio *m.* nerve
netamente clearly, distinctly
ni neither, nor; not even, not; **— un día más** not another day; **— . . . —** neither . . . nor; **— siquiera** not even
niega *see* **negar**
nieto *m.* grandson, grandchild; **—s** grandsons, grandchildren
ningún, ninguno, –a none, not any, no; *pron.* no one, not any one
niña *f.* girl; **desde muy —** since you were very young
niñería *f.* child's play, childish prank
niño *m.* boy, child
no no, not; **¡eso —!** not that! **eso sí que —** certainly not that; **sabes que —** you know that I don't
nobilísimo, –a most noble, very noble
noble noble
nobleza *f.* nobility
noche *f.* night, evening; **de —** at night; **ser de —** be night; **esta —** to-night; **esta misma —** this very night

nombrar name, mention by name

nombre *m.* name

norma *f.* standard

nos us, to us, each other, ourselves

nosotros we, us, each other

nota *f.* note

notable notable

notar note, notice

noticia *f.* notice, news; **—s** news

novecientos, –as nine hundred

novedad *f.* novelty, newness, youth, news

novela *f.* novel

novelita *f.* (*dim. of* **novela**) romance

novia *f.* fiancée

noviazgo *m.* engagement, betrothal

novio *m.* fiancé

nuestro, –a our, ours, of ours; **el nuestro, la nuestra** *etc.* ours

nuevamente anew, again

nuevo, –a new, fresh

número *m.* number

nunca never, ever

nupcial nuptial

O

o or

obligación *f.* obligation, binding promise, bond

obligar oblige, force, compel; favor

obra *f.* work, deed, literary production, output

obrita *f.* (*dim. of* **obra**) little work, short piece

obscuridad *f.* obscurity, darkness

obscuro, –a obscure, dark

obsequiar entertain, make presents, favor; **obsequiada con un regalito** presented with a little gift

obstante obstructing; **no —** nevertheless, however

obstinarse en persist in

obtendréis *see* **obtener**

obtener obtain, get

ocasión *f.* occasion, opportunity; **poner en — de** put in a position to, give an opportunity to, enable to

ocaso *m.* setting

ocio *m.* leisure, idleness; **—s** leisure moments, leisure, idleness

ocultar hide

ocupación *f.* occupation

ocupar occupy

ocurrir occur, happen; **¿qué le ocurre?** what's the matter with him?

ochenta eighty

ocho eight

odio *m.* hatred

odioso, –a odious, hateful

ofender offend

ofensa *f.* offense; **— de palabra** offense by word of mouth, spoken insult

oficial official

oficio *m.* office, duty, service

ofrecer offer

ofrezca *see* **ofrecer**

ofrezco *see* **ofrecer**

oído *m.* (inner) ear

¡oh! oh!

oír hear

ojo *m.* eye; **a mis propios —s** in my own eyes

olvidar forget; —se de forget
ópalo *m.* opal
opinión *f.* opinion, public opinion
opondré *see* oponer
oponer oppose; —se (a) oppose, resist
oponga *see* oponer
oposición *f.* opposition; las —es the opposition (*especially of a political party*)
oprimir oppress; los oprimidos those oppressed
oración *f.* prayer
oráculo *m.* oracle
orden *m.* order, system; poner — en put in order, set straight; por el — in the order; para Orden público to be a policeman
orden *f.* order, command, rank
Ordenanza *f.* decree, ordinance, statute
ordenar order, direct, bid, command
ordinario, -a ordinary, usual; de — usually
orejita *f.* (*dim. of* oreja) little ear
orgullo *m.* pride
orgulloso, -a proud, vain
origen *m.* origin
original original
oro *m.* gold; — de ley standard gold
os (*from* vosotros) you, to you, each other, one another, yourselves
osadía *f.* daring, boldness
osado, -a daring, bold; ser — a be bold enough to, dare to; *see* osar

osar dare; *see* osado
ostentar display
otro, -a other, another, different; esto — this other thing; de — modo otherwise; —s tales the same kind of; — tanto the same, just the same; —s tantos just as many; enamorarse el uno del — fall in love with each other; otra vez another time, again; otras veces at other times
oy-es, -e *see* oír
oyó *see* oír

P

pabellón *m.* pavilion
paciencia *f.* patience
padecer suffer
padre *m.* father; —s fathers, parents
pagar pay, pay for
pago *m.* payment
paguéis *see* pagar
país *m.* country, nation
paje *m.* page, attendant
palabra *f.* word, speech; dirigir la — a address; ofensa de — offense by word of mouth, spoken insult
palacio *m.* palace; en Palacio in the Palace (*the Royal Palace in Madrid*)
paloma *f.* pigeon, dove
palpable palpable
Pandectas *f. pl.* Pandects *see page* 100, *note* 3
Pantalón *m.* Pantaloon *see page* 119
papá *m.* papa, father
papel *m.* paper, securities; rôle

papelote *m.* (*aug. of* **papel**) big paper, paper (*depreciative*)

par *m.* pair, couple

par equal; **abierto de — en —** wide open

para for, to; **— +** *inf.* (in order) to, to; **— ese día** by that day; **leer — sí** read to oneself; **— Orden público** to be a policeman; **— soldado** to be a soldier; **— que** in order that, that; *for other expressions containing* **para** *see Notes and other headings in this vocabulary*

parado, -a stopping, standing; *see* **parar**

parar stop, stay, live; *see* **parado**

parcial partial

parecer *m.* appearance, looks; **al —** apparently; *see below*

parecer appear, seem; **—se a** resemble, look like; **¿qué os parece?** what do you think? **no parece sino que** it seems that you only; **¿no te parece?** don't you think so?

pareja *f.* pair, couple

parezca *see* **parecer**

pariente *m.* relative, cousin

París *m.* Paris

parte *f.* part, portion, share; place, side, direction; party (*in a lawsuit*); **de — de** on behalf of, on the part of; **de mi —** on my part; **de su (vuestra) —** on his (their, your) behalf *or* side; **de — suya** on his part *or* behalf; **por — de** on the part of; **por mi —** for my part, as far as I am concerned; **no**

. . . por — de ninguno not . . . on anybody's part; **de cada —** on each side; **por otra —** moreover; **de otras —s** from other places *or* directions; **en todas —s** everywhere; **no . . . en alguna** not . . . anywhere; **¿de qué —?** on which side? **dar su — a** give (*something*) its due, recognize the importance of (*something*); **ser — en** have a share in, have a hand in

particular particular, private

particularmente privately

partida *f.* game

partido *m.* (*political*) party; match

pasado, -a past; **— mañana** the day after to-morrow; **el verano —** last summer; *see* **pasar**

pasar pass, spend, give, hand; feel, endure; go, proceed, enter, come in; happen; **— cuidado** worry; **— por** pass for, be considered; go through, stand, endure; **me estoy pasando** I'm becoming *passée*, I'm growing old; *see* **pasado**

pasear promenade, walk, stroll

pasillo *m.* (*dim. of* **paso**) passage, corridor

pasión *f.* passion

pasioncilla *f.* (*dim. of* **pasión**) trivial *or* fleeting passion

pasmarote *m.* person stunned by astonishment, graven image

paso *m.* passage, step; **dar un**

— take a step; **un — más**
one step further, another
step

pastel *m.* pie; **— de liebre**
hare pie

patrimonio *m.* patrimony

pecar sin; **— de** + *adj.* be
too . . . ; **— por exceso** sin
by excess, go too far

pecuniario, –a pecuniary,
monetary

pedir beg, demand, ask, ask
for; **— cuenta de** ask for an
account of

pegar hit, strike; fight, quarrel

peinadora *f.* hairdresser

peinar comb, dress (the hair)

peligro *m.* danger

peligroso, –a dangerous

pellejo *m.* skin, hide

pena *f.* difficulty, trouble, toil;
valer la — be worth the
trouble, be worth while

penoso, –a toilsome, painful,
difficult

pensamiento *m.* thought

pensar think, think about,
expect, plan; **— en** think
of *or* about, expect to

peña *f.* rock, cliff; **Peñas
Rojas** Red Cliffs (*name of
an imaginary place*)

peor *adj. and adv.* worse,
worst

Pepe *m.* (*fam. for* **José**) Joe

Pepito *m.* (*dim. of* **Pepe**) little
Pepe *or* Joe (*it is best to
retain the Spanish name*)

pequeño, –a small, little; **en —**
on a small scale

percibir perceive, hear

perder lose, destroy, ruin; **—**

de vista lose sight of; **—se**
ruin oneself, be lost, come
into disfavor

perdición *f.* perdition

perdiz *f.* partridge

perdón *m.* pardon

perdonar pardon, forgive

perfectamente perfectly

perfecto, –a perfect

perfil *m.* profile

periódico *m.* newspaper, journal

perjudicar injure; **decirse perjudicado** call oneself injured

perjuicio *m.* injury, damage,
harm; **sin — de** without
prejudice to, without (its)
preventing (you) from

permanecer remain

permanencia *f.* stay, continuance

permitir permit, allow, let

pero but; *see page* 12, *note* 5

perro *m.* dog

persa Persian

perseguir pursue

persigue *see* **perseguir**

persona *f.* person, individual;
—s *also* people; **— de
crédito** person of good character, responsible person;
— de valimiento person of
influence

personaje *m.* personage, character

personal personal

personalidad *f.* personality

personalmente personally

perteneciente belonging

pertrechar equip

pesado, –a heavy, wearisome;
¡no seas —! don't be a
nuisance; *see* **pesar**

pesar *m.* sorrow, regret, concern; **a — de** in spite of; **a — mío** to my regret; **a nuestro —** in spite of ourselves

pesar grieve, cause pain *or* regret *see* **pesado**

peseta *f.* peseta (*a coin* = *about twenty cents*)

pesimista pessimistic

peso *m.* weight

pez *f.* pitch, tar

piadoso, -a pious, merciful; **acogerse a lo —** resort to pious means

Picardía *f.* Picardy

picardía *f.* knavery, roguery

pícaro *m.* knave, rogue

pícaro, -a rascally, roguish

pidamos *see* **pedir**

pid-o, -e, -en *see* **pedir**

pie *m.* foot; **de —** on foot

piel *f.* skin

piens-e, -es, -e, -en *see* **pensar**

piens-o, -as, -a, -an *see* **pensar**

pierd-e, -en *see* **perder**

pintar paint, describe; **de lo vivo a lo pintado** between life and painting

pintura *f.* painting, picture

placer please

plácido, -a placid, calm, tranquil

plan *m.* plan, scheme

¡plan! *interj. used to imitate sound of drum*

plano *m.* plane; **primer —** foreground, forefront

plano, -a plain, level, even; **dar de —** strike directly, hit squarely

planta *f.* sole of the foot, foot

plaza *f.* square, place; **— fuerte** fortress, stronghold

plazca *see* **placer**

plazo *m.* term, time, delay, date *or* limit of payment

plebeyo, -a plebeian, common

plectro *m.* plectrum (*for playing stringed instruments*)

plenitud *f.* fulness

pluma *f.* pen

pobre poor, wretched, miserable; **el —** the poor man; **los —s** the poor; **— de ambiciones** lacking in ambition; **¡— de mí!** poor me!

pobrecito, -a (*dim. of* **pobre**) poor; **¡—!** poor fellow!

pobrete (*dim. of* **pobre**) poor; **los —s** the poor

poco, -a little, a little, but little; *adv. also* very little, not very; **—s** few, a few; **al** *or* **en — tiempo** in a short time; **a —** after a little while, soon; **— a —** little by little, gradually, slowly; **— más o menos** more or less, about; **gentecilla de — más o menos** people of little account; **un — de** a little

poder *m.* power, hands

poder be able; can, may; **no — con** be unable to stand; **tanto —** be able to do so much, be so powerful

poderoso, -a powerful; **los —s** the powerful, the mighty

podr-é, -ás, -á, -án *see* **poder**

podría *see* **poder**

poema *m.* poem

poesía *f.* poetry

poeta *m.* poet

poético, -a poetic

Polichinela m. Punch; **estos viejos polichinelas** these old clowns; *see page* 119

política f. politics

político, -a political

pon *see* poner

ponderación f. consideration, praise, eulogy, talk

pondr-é, -á *see* poner

poner put, put on, place, set; put in, fix, arrange; charge; — lo blanco negro make white seem black; — en evidencia make clear, make known, demonstrate, set forth; — en juego put into play — de largo put long dresses on; — de mal humor put into a bad humor; — la mesa set the table; — en ocasión de put in a position to, give the opportunity to; — orden en put in order, set straight; — en ridículo make a fool of; —me a riesgo de run the risk of my; — sospecha en cast suspicion upon; —se become, get; put on; —se de acuerdo come to an agreement; —se al alcance de get within reach of; —se en ridículo make a fool of oneself; poned sesenta make it sixty

pong-a, -áis *see* poner

pongo *see* poner

popularidad f. popularity

populoso, -a populous

por for, in exchange for, by, through, about, on account of, for the sake of; — + *inf.* through, because of; in order to; — + *adj. or adv.* que however, although; — noble que sea however noble she may be; — que in order that; ¿— qué? why? no tener — qué have no reason to; — sí by himself; — lo tanto therefore; *for other expressions containing* por *see Notes and other headings in this vocabulary*

porque because

portero m. porter, janitor

porvenir m. future

posada f. inn, lodging house

posible possible; todo lo — everything possible

posición f. position

postrimería f. last period of life; —s last years

potaje m. porridge, stew

practicable practicable, feasible; puerta — door that opens and shuts (*in stage setting*)

práctico, -a practical

preceder precede

precio m. price, value

precisamente precisely, exactly, just

preciso, -a necessary

preferible preferable

preferir prefer

pregunta f. question

preguntar ask, question

prelado m. prelate

prendar pledge, charm; —se de take a fancy to

prender seize, arrest; pin, fix, set; take root, catch, be catching

preocupación *f.* worry, care

preparado, –a prepared, ready; *see* **preparar**

preparar prepare; *see* **preparado**

presencia *f.* presence, appearance

presenciar witness

presentar present, introduce, exhibit, give   ●

presente present, at hand; **de —** at present, now

presidente *m.* presiding officer, chairman, president

presidir preside, preside over

prestar lend, offer; **—se a** lend *or* offer oneself to, be ready *or* willing to

presumir presume; **— de** boast of

presunción *f.* presumption

presupuesto *m.* estimate, budget; **—s** estimates, budget

pretender pretend (to), expect (to), claim (to); try (to), attempt (to); woo, court

pretexto *m.* pretext

prevenido, –a prepared, provided, foreseen; *see* **prevenir**

prevenir prepare, notify; *see* **prevenido**

previno *see* **prevenir**

previo, –a previous, prior

previsión *f.* foresight

prima *f.* cousin

primeramente first, in the first place

primer(o), –a first; **lo —** the first thing; **de buenas a primeras** suddenly

primero *adv.* first, at first

primitivo, –a primitive, early

primo *m.* cousin

princesa *f.* princess; **Teatro de la Princesa** *see page* 113

principal principal

príncipe *m.* prince

principio *m.* beginning, start; principle; **a —s de** at the beginning of

prisa *f.* hurry, haste; **de —** hurriedly, fast

privación *f.* privation

privanza *f.* protection, favor

privar deprive; **—se de** deprive oneself of, go without

privilegio *m.* privilege

probabilidad *f.* probability

probar try, test, prove

proceder proceed

procedimiento *m.* proceeding, legal procedure

proceso *m.* process, case, lawsuit

proclamar proclaim, declare

producción *f.* production

profesor *m.* professor, teacher

prólogo *m.* prologue, introduction

promesa *f.* promise

prometer promise; *see* **prometido**

prometido *m.* betrothed, fiancé

pronosticar predict

pronto, –a prompt, quick, fast, ready

pronto *adv.* quickly, soon, early; **¡ —!** quick ! **de —** suddenly

propicio, –a propitious

propio, –a proper, suitable; own; self; **— de** suited to, befitting, characteristic of; **propia alabanza** self-praise· **el — Aretino** Aretino himself; **sí —** himself, herself etc.

proponer propose; **—se** purpose, plan, propose

proporcionar supply, provide with, furnish

proposición *f.* proposition, proposal

propósito *m.* purpose, intention, object, occasion; **a —** by the way; **¿a qué —?** with what purpose?

propuesto *see* **proponer**

prosa *f.* prose

proscenio *m.* proscenium, front (*of the stage*); *see page 39, note* 1

protocolo *m.* protocol, record, document

provecho *m.* profit, advantage, benefit; **con —** profitably, to advantage

proveer de provide with, supply with

provincia *f.* province; **de —** provincial

provisión *f.* provision, filling

provocar provoke, arouse, cause

proyecto *m.* project, plan

prudente prudent, wise

prueba *f.* proof

prueba *see* **probar**

publicación *f.* publication

publicar publish

público *m.* public

pudding *m.* (*Eng.*) pudding

pud–e, –iste, –o, –ieron *see* **poder**

pud–iera, –iéramos *see* **poder**

pueblo *m.* town, village; populace, people, common people

pueda *see* **poder**

pued–o, –es, –e, –en *see* **poder**

puente *m.* bridge; **Puente Nuevo** *see page 39, note* 3

puerta *f.* door

puerto *m.* port, harbor; **llegar a buen —** reach a safe port *or* haven of refuge

pues well, then, so

puesto *m.* post, place

puesto *see* **poner**

pulcro, –a neat, graceful

punta *f.* point; **en —** pointed

punto *m.* point, dot, spot, place; **al —** immediately, straightway; **estar a — de** be on the point of; **estar en su —** be at its height

puntualizar give a detailed account of, tell in detail, specify

puntuar punctuate

puramente purely, simply, merely

pureza *f.* purity, simplicity

puro, –a pure, simple

pus–e, –o, –imos, –ieron *see* **poner**

Q

que *rel. pron.* who, which, that; **el, la, los, las —** who, which, that; the one who, he who, *etc.;* **lo —** that which, what; *see* **lo**

¿qué? what? **¡ — !** what! what a! how! **¿a —?** for what? for what purpose? why? **¡ — de !** how many! **¿por —?** why? **no tener por —** have no reason to; **no sé —** something or other

que *adv.* than, as

que *conj.* that; for, because;

until; **es** — the fact is that, it's because; **no es** — it isn't that, it isn't because; *for other meanings and uses see Notes and other headings in this vocabulary*

quebrantar break

quedar remain, stay, be left, be; — + *p. p.* remain, be; — **bien** (**mal**) **con** remain *or* be on good (bad) terms with; — **en** agree to; — **en cuidado** be anxious; —**se** remain, stay; —**se sin** remain without, lose; **no me quedan otros medios** I have no other means left

queja *f.* complaint

quejarse complain; — **de** complain of

querella *f.* complaint, dispute

querellante *m.* complainant, disputant

querer want, wish, desire; — **a** love, like; — **decir** mean; ¡**quiera el Cielo !** may heaven grant! **quisiera** I should like; *see* **querido**

querido, –a beloved, dear; *see* **querer**

querrás *see* **querer**

quien who, whom; the one who, he who, *etc.;* **hay** — **dice** there are some who say, it is said

¿**quién?** who? whom?

quier–as, –a *see* **querer**

quier–o, –es, –e, –en *see* **querer**

quis–e, –iste, –o, –ieron *see* **querer**

quis–iera, –iéramos, –ierais, –ieran *see* **querer**

quitar take, take away, rob

R

rabia *f.* rage, wrath, anger

rabiar rage; — **por** long eagerly to

Ramón *m.* Raymond

¡**ran !** (*interj. used to imitate sound of drum*)

rápido, –a rapid, quick, swift

raro, –a rare, uncommon, extraordinary

raso *m.* satin

rastrear rake

¡**rataplan !** (*interj. used to imitate sound of drum*)

rayar border on, begin; **rayaba el día** day was breaking

razón *f.* reason, right, justice; cause, motive; **razones** words, talk, argument; **hablar en** — talk sensibly *or* logically; **ser** — be right *or* proper; **tener** — be right; **tener más** — be more correct; **tener mucha** — be quite right

razonable reasonable, fair, just

real royal; **Teatro Real** *see page 5, note 3*

realidad *f.* reality, truth

realista realistic

realizar realize

realmente really

rebajar lower, cheapen

recibir receive

recitar recite

recobrar recover

recoger gather, collect, pick up, take up, adopt, accept

recomendación *f.* recommendation

recomendar recommend

recompensar reward

reconocer recognize

recordar remember, recall, recollect; — de remember

recuerd–as, –a *see* recordar

recuerdo *m.* remembrance, recollection, memory, souvenir

recurso *m.* recourse, resource

redimir redeem

reducir reduce

referir tell, relate, report

refinar refine

refirió *see* referir

reflexionar reflect

regalar make presents, present, give

regalito *m.* (*dim. of* regalo) small present, little gift

regalo *m.* present, gift; comfort, luxury

regañar quarrel

región *f.* region

registrar search, examine

regocijado, –a merry, joyful, festive

regocijo *m.* joy, gladness, merriment, rejoicing

regreso *m.* return

regular regular, common, average; por lo — usually, as a rule

rehacer remake, make again, repair

reino *m.* realm, kingdom

reír laugh; —se laugh, scoff; —se de laugh at

relación *f.* relation

relativo, –a relative

relucir shine; salir a — come to light

remar row

remedio *m.* remedy, help;

¡ qué —! what remedy! what else is to be done!

remo *m.* oar

rendirse give oneself up, yield, submit

renegar de renounce, disown

renovar renew

renunciar a renounce, give up

reñir quarrel, scold

reparación *f.* reparation, amends

reparar repair, compensate, indemnify, make amends for; — en hesitate at, stop for; notice

reparto *m.* distribution, cast of characters

replicar reply

reponer replace, restore, recover

reposo *m.* repose, rest

reprender reprove, scold

representación *f.* representation, performance

representante *m.* representative

representar represent, perform

reprochar reproach, blame, blame for

reproducción *f.* reproduction

repugnar a be repugnant to, oppose; le repugna . . . he dislikes . . .

reputación *f.* reputation

requerir require

residir reside

resignación *f.* resignation

resignaos (resignad + os)

resignar resign, give up; —se a resign oneself to, submit to; —se con resign oneself to, make up one's mind to endure

resistir resist, stand, endure
resolución *f.* resolution, determination
resolver resolve, solve, decide
respecto a (*or* **de**) with respect to
respeto *m.* respect, consideration; **guardar** — show respect
resplandor *m.* light, splendor, brilliancy, radiance
responder respond, answer
resultado *m.* result
resultando *see page* 85, *note* 3
resultar result, follow
retardado, –a retarded, old-fashioned
retirar withdraw; —**se** retire, withdraw
retroceder retreat, draw back
reunir collect; —**se** meet, collect, come together
reverencia *f.* reverence, bow
reverenciar revere, venerate
revolucionario,–a revolutionary
rico, –a rich
ridiculizar ridicule
ridículo *m.* ridicule; **poner en** — make a fool of; **ponerse en** — make a fool of oneself
ridículo, –a ridiculous
rí–es, –en *see* **reír**
riesgo *m.* risk, danger, peril; **ponerme a** — **de** run the risk of my
rigurosamente strictly
río *m.* river
riqueza *f.* riches, wealth
riquísimo, –a extremely rich, very rich
¡ ris ! (*interj. used to imitate sound of sword cutting*)
risa *f.* laughter; —**s** bursts of laughter, laughter

Risela *f. no English equivalent*
risueño, –a smiling; **el** — the smiling man, merry person
robar rob, steal
robo *m.* robbery
rodear surround
rodeo *m.* winding, turn, circumlocution, evasion; **no andar con** —**s** be too outspoken, take too many liberties
rogar ask, beg, beseech
rojo, –a red; **Peñas Rojas** Red Cliffs (*name of an imaginary place*)
romancesco, –a romantic
romanticismo *m.* romanticism
romántico, –a romantic
romper break, destroy, tear up
rosa *f.* rose
rubio, –a fair, blonde
ruboroso, –a blushing, bashful
rufián *m.* ruffian
ruido *m.* noise, uproar
ruin mean, vile, base
ruina *f.* ruin, destruction
ruindad *f.* meanness, baseness
ruinmente meanly, basely
ruinoso, –a ruinous, worthless
Ruiz *no English equivalent*

S

saber *m.* knowledge
saber know, understand, learn; know how to, can; — **cómo** know how to; **no sé qué** something or other; **no, que yo sepa** not that I know of
sabiamente wisely
sabiduría *f.* wisdom
sabio *m.* wise man, learned man, sage

sabor *m.* savor, taste, flavor

sabr-é, -ás, -á, -emos, -éis *see* **saber**

sabr-ía *see* **saber**

sacar take out, remove; clear, free, help out; take; get, secure, obtain; — **testimonio** take testimony

sacrificar sacrifice

sacrificio *m.* sacrifice

sagaz sagacious, cunning

sagrado, -a sacred, holy

sal *see* **salir**

sala *f.* room

saldr-é, -ás, -á, -emos *see* **salir**

salga *see* **salir**

salgo *see* **salir**

salir go out, go away, leave, depart, escape; get out; enter, exit (*used on stage*); — **a** take after, resemble; — **a relucir** come to light; — **adelante** get ahead, get out, emerge, escape

salón *m.* parlor, reception room; **cronista de salones** society reporter

salteador *m.* highwayman; — **de caminos** highwayman

saltear assault, attack

salud *f.* health; ¡ —! to your health!

saludar salute, greet

saludo *m.* salutation, greeting, bow

salvar save; —**se** save oneself, escape

salvo, -a saved, safe

santo *m.* saint

santo, -a holy, sacred

saque *see* **sacar**

sastre *m.* tailor

sátira *f.* satire

satírico, -a satirical

satirizar satirize

satisfacción *f.* satisfaction

satisfacer satisfy, content, please

satisfaga *see* **satisfacer**

satisfecho, -a satisfied

sayón *m.* cruel person, barbarian

se himself, herself, itself, yourself, themselves, yourselves; each other; to himself, *etc.*; to him, to her, *etc.*

sé *see* **saber**

se-a, -as, -áis, -an *see* **ser**

secretario *m.* secretary

secreto *m.* secret

secreto, -a secret, confidential

seguida *f.* succession; **en** — at once, immediately

seguir follow, continue, go on; — + *pres. part.* go on, continue, be; — **adelante** go ahead; **sigues equivocado** you are still mistaken

según *prep.* according to; *conj.* according as, just as, as

segundo, -a second; **la segunda derecha, la segunda izquierda** *see page* 39, *note* 1

seguramente surely

seguridad *f.* security, safety, assurance

seguro, -a secure, safe, sure, certain, unfailing; **de** — surely; **de** — **que** + *verb* surely; **tener por** — consider it certain, be sure, rest assured

selección *f.* selection

semejante similar, like, such

semejar resemble, be like

Senado *m.* Senate (*corresponding approximately to the Senate in the United States*)

sencillez *f.* simplicity

sencillo, –a simple

sensible sensitive, feeling

sentaos (sentad + os)

sentar seat, sit down; **— a** become, suit, be suitable to; **—se** sit down, be seated

sentencia *f.* sentence, decision, judgment, opinion

sentenciar sentence, pass judgment, condemn

sentencioso, –a sententious, pithy

sentido *m.* sense; direction; **sin —** senseless, unconscious

sentimiento *m.* sentiment, feeling

sentir feel, realize; regret, be sorry for; **—se** feel; **mucho lo siento** I am very sorry

seña *f.* sign, signal

señor *m.* sir, Mr.; lord, master; gentleman; *sometimes not translated, see page 24, note 1*

señora *f.* lady, Mrs., madam; wife; **— de compañía** companion

señoría *f.* lordship, mastery, power

señorita *f.* (*dim. of* señora) young lady, Miss

señorito *m.* (*dim. of* señor) young gentleman

sep–a, –amos, –an *see* saber

separar separate; **mostrar separado** show separated *or* show separately

ser *m.* being, creature

ser be; **— de** belong to; become of; **— fuerza** be necessary; **llegar a —** come to be, become; **— parte en** have a share in, have a hand in; **venir a —** come to be, become; **es que** the fact is that, it's because; **si eso fuera** if that were the case; **si por él fuera** if it depended on him; **o sea** or in other words, or; **sea como sea** however it may be, in any case; **sea quien sea** whoever it may be; **¿qué será de mí?** what will become of me?

serenidad *f.* serenity, calmness

seriamente seriously

serie *f.* series

serio, –a serious

servicio *m.* service, duty; **escalera de —** back stairs

servidor *m.* servant

servidumbre *f.* service, servitude, attendance

servir serve, be fitted, be of use, help; **— de** serve as, avail, be of use; **no — de nada a** (**de nada — a**) be of no use to; **no — para** be unsuited for; **ni sirve** it isn't even of any help; **¿quién sirve?** who is in attendance? who's there?

sesenta sixty

severo, –a severe, strict

si *conj.* if, whether; why, well, indeed; **— acaso** well, perhaps

sí *adv.* yes; indeed, of course; **eso —** yes indeed; **eso — que no** certainly not that

sí (*after prepositions*) *pron.* himself, herself, itself, oneself, themselves; **en — mismo** in oneself; **por — solo** by itself

siempre always; **lo de —** the constant *or* usual thing; **para —** forever; **— que** *conj.* whenever, provided that

sienta *see* **sentar**

sienta *see* **sentir**

sient–o, –e *see* **sentir**

sigamos *see* **seguir**

sigilo *m.* secrecy

siglo *m.* century, age

significar signify, mean

significación *f.* significance, meaning

sigo *see* **seguir**

sigu–es, –e *see* **seguir**

siguiente following, next; **al día —** on the following *or* next day; *see* **seguir**

siguiendo *see* **seguir**

silencio *m.* silence

Silvia *f.* Silvia

sillón *m.* armchair

simpatía *f.* sympathy

simpático, –a attractive

simple simple, artless, silly

sin without; **— embargo** however, yet, nevertheless; **— que** *conj.* without

sinceridad *f.* sincerity

singular singular, strange, extraordinary

sino but, except; **no hay —** there is nothing to do but; **— que** *conj.* but, except that; **no . . . — que** only; **no parece — que** it seems that you only

siquiera at least, even; **nī —** not even

Sirena *f. no English equivalent*

sirv–a, –an *see* **servir**

sirv–es, –e, –en *see* **servir**

sirvió *see* **servir**

sistema *m.* system

sitio *m.* place, spot

situación *f.* situation

soberano, –a sovereign, pre-eminent

sobrar be more than enough; **me sobran razones** I have more than enough reasons

sobre over, above, on, upon; **— todo** above all, especially

sobreponerse a rise above, rise superior to

sobriedad *f.* sobriety

sobrina *f.* niece

sobrio, –a sober

socavar excavate, dig

social social

sociedad *f.* society; **crónica de —** society news

socorrer help, aid, serve

sofocado, –a suffocated, out of breath; **cómo vengo de sofocada** how out of breath I come

sois *see* **ser**

sol *m.* sun

soldada *f.* salary, wages, pay

soldado *m.* soldier; **para —** to be a soldier

soler be accustomed to; **solía** (he) used to

solicitar solicit entreat, request

solitario, –a solitary, lonely

soliviantar rouse

solo, –a sole, single, alone, only; **— de criada** without a servant; **a solas** alone

sólo *adv.* only; **no —** . . . **sino** not only . . . but (also)

soltar unfasten, loosen, let go, give up; **sin — blanca** without spending *or* paying a cent

solución *f.* solution

sombra *f.* shade, shadow

sombrero *m.* hat

somos *see* **ser**

son *m.* sound

son *see* **ser**

sonar sound, ring

soneto *m.* sonnet

sonreír smile

sonríe *see* **sonreír**

soñar dream, dream of, desire earnestly; **— con** dream of *or* about, think about, indulge in

soportar endure, stand

sorpresa *f.* surprise

sosiego *m.* tranquillity, rest, calm

sospecha *f.* suspicion; **poner — en** cast suspicion upon

sospechar de suspect

sostendr–á, –emos *see* **sostener**

sostener sustain, maintain, support, continue, keep up

soy *see* **ser**

su his, her, its, your, their

subir go up, come up, rise, ascend

sublime sublime

subvenir (a) assist, provide, supply

suceder happen; **¿qué os sucede?** what is the matter with you? **lo que os sucede es que** the trouble with you is that; **suceda lo que suceda**

happen what may, whatever may happen; **todo lo sucedido** all that has happened

suceso *m.* event, happening

suegro *m.* father-in-law

suele *see* **soler**

suelo *m.* ground, earth

suene *see* **sonar**

sueño *m.* dream, vision; **por —** through a dream *or* vision

sueñ–o, –a *see* **sonar**

suerte *f.* chance, luck; fate, lot, destiny

suficiente sufficient, enough, clear, good, satisfactory; **lo —** what is sufficient

suficientemente sufficiently, competently

sufrir suffer, stand, endure, allow

sujeto *m.* person, individual, fellow

suma *f.* sum, amount

sumar add; amount to, foot up to

summa *see page* 93, *note* 1

summum *see page* 93, *note* 1

suntuosidad *f.* sumptuousness, splendor, luxury

suntuoso, –a sumptuous, luxurious

sup–e, –iste, –o, –isteis, –ieron, *see* **saber**

sup–iera, –ieras, –ierais *see* **saber**

superior superior, higher

supondrás *see* **suponer**

suponer suppose, think, imagine

supongamos *see* **suponer**

supongo *see* **suponer**

suposición *f.* supposition

supremo, -a supreme, highest
suprimir suppress, overcome
supuesto *m.* assumption; **por — de** of course
supuso *see* **suponer**
surgir rise, arise
suspender suspend, stop, cancel, put off
suspenso, -a suspended
suspirar sigh
suspiro *m.* sigh
sustituir substitute, replace
susurro *m.* whisper, murmur, rustle
sutil subtile, fine, slender
sutileza *f.* subtlety, nicety
suyo, -a his, her(s), its, their(s), your(s); **el —** his, hers, *etc.;* **la suya** his, hers, *etc.;* **los —s** their men, their people

T

Tabarín *m. see page* 39, *note* 4
tabla *f.* tablet, table; **las doce —s** the twelve tables; *see page* 94, *note* 2
tablado *m.* scaffold, platform
tal such, so, of such a nature; **otros —es** the same kind of; **— vez** perhaps
talento *m.* talent, intelligence
talión *m.* talion; *see page* 100, *note* 1
también also, too
tambor *m.* drum
tan so, as, such, such a
tanto, -a so much, so great, such, much; **tanto** *adv.* so much, much; **—s** so many, so great, such; **a —s** at such and such a date; **— (. . .)**

como as much as, the same as, as well as; not only . . . but (also) **otro —** the same, just the same; **otros —s** just as many; **por lo —** therefore; **— tiempo** so long (*a time*); **un —** a certain sum; **tantas veces** so many times, so often
tapia *f.* wall (*made of mud*)
tapiz *m.* tapestry
¡tararí! (*interj. used to imitate sound of bugle*)
tardanza *f.* tardiness, lowness, delay
tardar be late; **— en** delay in, be long in, take a long time to; **—sele a uno en** long to; **se me tarda en** I long to
tarde *f.* afternoon, evening; **ayer por la —** yesterday afternoon
tarde *adv.* late; **más —** later
¡tarí! (*interj. used to imitate sound of bugle*)
tarjeta *f.* card
te you, to you, yourself
teatro *m.* theater, stage, drama, theatrical production; **— de la Comedia, — Lara, — de la Princesa, — Real** *see pages* 107, 113, 117, *and page* 5, *note* 3
tejer weave
telón *m.* curtain (*of a theater*); **— corto** drop curtain
tema *m.* theme
temblar tremble
temer fear
temor *m.* fear
temporada *f.* season, spell, time
temprano early

ten *see* tener

tendencia *f.* tendency

tender extend, stretch, spread out; —a have the effect of

tendr–é, –ás, –á, –éis, –án *see* tener

tendr–ía, –ías, –íais, –ían *see* tener

teneos (tened + os)

tener have, hold, keep; — tanto afán be so eager; — cuenta bear in mind; — en cuenta take into consideration; — cuidado take care, be careful; — mucho cuidado be very careful; — más edad be older; — envidia a be envious *or* jealous of; —lo a gloria consider it a great honor; — ocasión have the opportunity; — que have to, must; no — nada que decir have nothing to say; — que ver have to do; ¿qué tiene que ver Pepe? what has Pepe to do with it? what business is it of Pepe's? ¡tendría que ver! that would be a fine thing! ¿qué tienes? what's the matter with you? no — por qué have no reason to; — queja de have a complaint to make of; — razón be right; — más razón be more correct; — mucha razón be quite right; — por seguro consider it certain, be sure, rest assured; —se stop, halt

teng–a, –as, –áis *see* tener

tengo *see* tener

tensión *f.* tension

tercer(o), –a third

terciopelo *m.* velvet

terminar terminate, end

término *m.* term, boundary; primer — foreground, front (*of the stage*), *see page* 39, *note* 1

terquedad *f.* obstinacy

testarudo, –a stubborn, hard-headed

testigo *m.* witness

testimonio *m.* testimony

texto *m.* text

ti (*after prepositions*) you

tiembla *see* temblar

tiembles *see* temblar

tiempo *m.* time, weather; al (*or* en) poco — in a short time; a su — in their turn, at the proper time; mucho — a long time; hace mucho — a long time ago; tanto — so long (*a time*)

tienda *f.* store, shop

tiende *see* tender

tien–es, –e, –en *see* tener

tierra *f.* earth, land; correr —s rove over the world

timbre *m.* bell

timidez *f.* timidity, shyness

tímido, –a timid, bashful, shy

tinglado *m.* shed, scaffolding

tino *m.* skill, judgment; sin — without judgment, foolishly, absurdly, illogically

tío *m.* uncle

tipo *m.* type

tiranía *f.* tyranny

tiránico, –a tyrannical

tirar pull; — de pull by

tocar touch; play (*an instrument*); —le a uno fall to

one's lot; be *or* come one's turn; **nos toca el turno** our turn comes

todavía still, yet, nevertheless, all the same

todo, -a all, every, whole; **todo** *pron.* everything, anything; **—s** all, everybody, anybody; **—s los** every; **— el día** the whole day; **— el mundo** everybody; **— un** a whole; **— un hombre** a grown man; **a todas horas** all the time; **ante —** above all, first of all; **— lo posible** everything possible; **— lo que** everything *or* anything that, whatever; **sobre —** above all, especially

toilette *f.* (*Fr.*) toilet, dress

tolerancia *f.* tolerance

tolerante tolerant

tolerar tolerate

tomar take; **— por su cuenta** take upon oneself, take charge of; **—la con** contradict, blame, criticize; **— en serio** take seriously; **toma y daca** give and take

tomo *m.* volume

tono *m.* tone, shade

tontería *f.* foolishness, folly, nonsense; **—s** tomfooleries, nonsense

tonto *m.* fool

torpe dull, stupid

torpeza *f.* stupidity, piece of stupidity; **—s** pieces of stupidity, stupidity

tozudez *f.* obstinacy

trabajar work, labor

trabajo *m.* work, labor, toil

tracemos *see* **trazar**

traducir translate

traer bring, carry; **— a mano** carry by hand

traficante *m.* merchant, trader, bargainer

trágico, -a tragic

traición *f.* treachery

traigo *see* **traer**

traje *m.* dress, costume

traje-ron *see* **traer**

trajinante *m.* carter (*humble traveler or huckster*)

traj-o, -eron *see* **traer**

tramar plot, contrive

trance *m.* plight, situation, peril

tranquilidad *f.* tranquillity

tranquilizar pacify, reassure, quiet

tranquilo, -a tranquil, calm

transcendental transcendental

transeunte *m.* passer-by

transformación *f.* transformation

transformar transform, change

transigir compromise

trapisonda *f.* snare, deception

trapo *m.* rag, tatter

tras after, behind

trascender transcend, go beyond limits

trasciende *see* **trascender**

tratar treat, deal with, have dealings with; **— de** try, endeavor; **—se de** be a question of, concern; **tratándose de usted** when it concerns you

trato *m.* intercourse

través de, a across, through

travesura *f.* prank, trick, mischief

trazar trace, outline

tregua *f.* truce, respite; **dar — a** give a rest to, stop using

treinta thirty

tremendo, –a terrible

trepar climb

tres three

tresillo *m.* tresillo (*a game of cards*)

Triberiano *see page* 94, *note* 3

Triboniano Tribonian; *see page* 94, *note* 3

tribulación *f.* tribulation, trial

triste sad, dreary

tristeza *f.* sadness, melancholy

triunfante triumphant

triunfar triumph

triunfo *m.* triumph, victory

trono *m.* throne

tropel *m.* crowd, horde

tropezar con stumble upon, come upon, run into, meet

truhán *m.* rascal, knave

truhanería *f.* rascality

tu your

tú you

turbar disturb

Turco *m.* Turk; **el Gran Turco** the Great Turk, the Sultan

turco, –a Turkish

túrdiga *f.* strip of hide, strip

turno *m.* turn; **tercer — see page** 5, *note* 5

tuv–iera, –ieras *see* **tener**

tuvo *see* **tener**

tuyo, –a yours, of yours; **el tuyo, la tuya,** *etc.* yours

U

u (*before* **o** *or* **ho**) or

¡ uf ! oh! (*interj. indicating annoyance*)

ufanarse con pride oneself **on,** take pride in

ufano, –a proud, exultant

último, –a last, final

un, una a, an, one; **unos, –as** some, a few, about; **unos cuantos** some, certain; *see* **uno**

unánime unanimous

único, –a only, single, sole; **lo —** the only thing

unir unite, join, attach, fasten

uno, –a one; one, people, we, *etc.;* **—s** some, a few; **cada — each** one; **contentos el — del otro** pleased with each other; **— por —** one by one; *see* **un**

urgente urgent, important

uso *m.* use

usted you

usual usual

utilizar use

V

v–as, –a, –amos, –ais, –an *see* **ir**

vacilar vacillate, hesitate

vagar wander

vais *see* **ir**

valer be worth, be valuable, avail, be of use, be of value, protect, help; **no — nada** be worth nothing, be worthless; **— la pena** be worth the trouble, be worth while; **—se** help oneself, protect oneself; **—se de** make use of, use; **¡ válgame vuestra espada !** may your sword avail *or* protect me ! **¡ valedme !** protect *or* help me !

valga *see* **valer**

valgo *see* **valer**

valiente valiant, brave

valimiento *m.* value, advantage, protection; **persona de — ** person of influence

valor *m.* value, worth; valor, courage

vamos *see* ir

van *see* ir

vanidad *f.* vanity

vanidoso, –a vain, conceited

vano, –a vain, empty

variado, –a varied, heterogeneous

vas *see* ir

vay–a, –as, –amos, –an *see* ir

ve (*imper.*) *see* ir

ve–a, –amos, –áis, –an *see* ver

veces *see* vez

veinte twenty

veinticinco twenty-five

veintitantos, –as twenty odd

vejez *f.* old age, age

ven *see* venir

vencer conquer, overcome, defeat

vender sell, barter

vendr–á, –án *see* venir

vendríais *see* venir

Venecia *f.* Venice

veng–a, –an *see* venir

venganza *f.* vengeance, revenge

vengo *see* venir

veníos (venid + os)

venir come; **— a** come to; **— a ser** come to be, become; **ir y —** come and go, go to and fro; **—se** come

ventaja *f.* advantage

ventajoso, –a advantageous, profitable

ventana *f.* window

ventura *f.* fortune, good fortune, chance; **por —** by chance

veo *see* ver

ver see, watch; **vamos a —** let's see; **tener que —** have to do; **¿qué tiene que ver Pepe?** what has Pepe to do with it? what business is it of Pepe's? **¡tendría que ver!** that would be a fine thing! **—se** see oneself, see each other, be

veraneo *m.* summering; **viajes de —** summer trips

verano *m.* summer; **el — pasado** last summer

veras *f. pl.* truth, reality; **de —** in truth, really; **ir de —** be serious

verdad *f.* truth, true state; true; **de —** really, genuinely; **la —** in truth; **no es —** it *or* that isn't true; **con toda —** in very truth, in all seriousness

verdaderamente really, truly

verdadero, –a true, real, genuine

verdugo *m.* executioner

vergonzoso, –a ashamed, shy, modest, bashful

verso *m.* verse

vestido *m.* dress, garment, clothes

vestir dress; **vestido de** dressed in

vete (ve [*from* ir] + te)

vez *f.* time, occasion; **a veces** at times; **alguna —** occasionally, now and then; **algunas veces** sometimes; **cada — que** every time that, whenever; **¡cuántas veces!**

how many times! how often!
de — en cuando from time to
time; dos veces twice; en
— de instead of; más veces
on more occasions, more
often; muchas veces many
times, often; otra — another
time, again; otras veces at
other times; por primera —
for the first time; tal —
perhaps; tantas veces so
many times, so often; una
— once; de una — once for
all; para una — que on one
occasion that, for once when

viaje *m.* voyage, journey, trip

vianda *f.* food; —s victuals,
food

viandante *m.* traveler

victoria *f.* victory

vida *f.* life, living; ¡por — que!
+ *vb.* by my life! ¡por vuestra
— ! by your life!

vidrio *m.* glass

viejo, -a old; el — the old
man; los —s old people

viene *see* venir

vigilancia *f.* vigilance

villanamente villainously

villano *m.* rustic, countryman

vin-e, -iste, -o *see* venir

vinieran *see* venir

vino *m.* wine

violencia *f.* violence

violento, -a violent

violeta *f.* violet

virtud *f.* virtue

virtuoso, -a virtuous

visible visible

visión *f.* vision, perspective

visita *f.* visit, call; estar de —
be paying a visit, be calling

viso *m.* gleam, appearance,
color

vista *f.* sight, vision, view;
a — de in sight of; en — de
in view of; corto de — shortsighted, nearsighted; perder
de — lose sight of

visto *see* ver

viudo *m.* widower

vivir live, dwell; ¡viva . . . !
long live . . . !

vivo, -a alive, living, lively;
de lo — a lo pintado between
life and painting

vocabulario *m.* vocabulary

voces *see* voz

volar fly, soar

volumen *m.* volume

voluntad *f.* will, pleasure

volver return, come back, go
back; make, render; — a
+ *inf.* (do something) again;
— en sí return to oneself *or*
to one's senses; —se turn

vos you

vosotros, -as you

votar vote

voto *m.* vow, oath; ¡ — a! I'll
swear! good heavens!

voy *see* ir

voz *f.* voice, cry

vuela *see* volar

vuelta *f.* turn, return; sleeve
cuff, facing

vuelto *see* volver

vuelv-as, -a, -an *see* volver

vuelv-es, -en *see* volver

vuestro, -a your, yours, of
yours; el vuestro, la vuestra,
etc. yours

vulgar vulgar, common, ordinary

W

Walkyria (la) *f.* the Valkyries
(*an opera of Wagner; Spanish uses the singular*)

Y

y and
ya already, now, indeed, surely,
of course, soon; — **no** no
longer; — **que** now that

yerno *m.* son-in-law

yo I

Z

zorro *m.* fox